Le jeune homme au foulard rouge

Pierre Miquel

Le jeune homme au foulard rouge

ROMAN

Albin Michel

© Éditions Albin Michel S.A., 1994
22, rue Huyghens, 75014 Paris

ISBN 2-226-06939-9

« J'avais vingt ans. Je ne laisserai personne dire que c'est le plus bel âge de la vie ! »

PAUL NIZAN,
Aden Arabie

Chapitre 1

Laissez-nous la route !

LES ROUES sautent sur les pavés de l'avenue de Versailles. Les pneus geignent, les porte-bagages lourdement chargés de sacs entraînent les cyclistes vers le rond-point de la porte de Saint-Cloud, pour les livrer à la Néréide qui les guette d'un œil gourmand. *Oiseaux chers à Thétis, doux Alcyon, pleurez !*

Jean-Philippe, rageur, contemple son carter tordu. Son bel Alcyon sorti droit de la manufacture de Touraine s'est fracassé contre le granit des Vosges, capable de briser un char Tigre. La bicyclette chromée, nickelée, presque neuve, a son rétroviseur en miettes, son guidon de travers, son beau cadre bleu ciel éraflé sur toute la longueur. Depuis le bombardement de l'église inachevée de Sainte-Jeanne-de-Chantal en 1943, les blocs de pierres sont comme des blockhaus devant le bas-relief de Landowski.

Accablé, Jean-Philippe est assis sur une borne, regrettant déjà d'avoir quitté son bel immeuble de brique du boulevard Murat pour partir à l'aventure. Ses deux camarades n'osent l'approcher. Ils savent qu'il a des colères d'enfant gâté.

— C'est égal, dit Serge, le chef de file, en rangeant soigneusement son Oscar Egg à guidon de course le long du trottoir.

— Prends bien soin de ton prototype, ironise le troisième coureur, qui semble plus jeune et plus frêle que les autres.

Serge hausse les épaules. C'est un calme colosse, aux épaules de garçon boucher. Il est en effet très fier de son vélo, qui porte le nom d'un prestigieux champion du Tour d'avant-guerre.

— Pas question de briser mes jantes de bois, dit-il en lissant soigneusement ses cheveux plats. C'est égal. Si l'on s'était donné rendez-vous au pont de Neuilly, on aurait gagné du temps !

— Sans doute ! siffle Jean-Philippe. Vous en gagnerez bien plus encore en partant sans moi. C'est perdu pour cette année. Je n'irai pas à la plage avec un vélo cabossé.

A la plage ! Les deux autres remontent en selle d'un seul mouvement. Peuvent-ils s'encombrer d'une pareille cocotte ! A la plage ! En 1946 ! En Normandie !

— Laisse-lui sa pelle et son seau, dit Serge. Il ira jouer au Luxembourg.

A dix-sept ans, malgré son short court qui laisse le champ libre à ses jambes musclées, Serge est un adulte. Sa voix forte porte, sa gouaille austère d'enfant des fortifications lui donne un ton de commandement que nul ne conteste. Avec Serge, on se sent sûr de soi, rien ne peut arriver.

Jean-Philippe les regarde partir. Il triture une mèche de ses cheveux frisés, comme il le faisait au cours de philosophie du père Taublanc, en cette année du bachot. Il ne dit pas un mot pour les retenir. Les bourgeois ont leur fierté. Il détache nerveusement le sac de camping de son porte-bagages ridiculement étroit, en barres d'aluminium renforcées. Il le jette à terre dans un geste d'impatience. Le sac, mal équilibré, s'ouvre sous le choc et laisse s'échapper des théories de saucisses sèches, de pommes et de gâteaux vitaminés au pied de l'impassible statue de la Seine.

— Il n'est pas parti sans biscuits, remarque Serge, sans quitter sa pédale à cale-pied.

Ils n'ont pas eu le cœur de l'abandonner. Ils ont seulement fait, à lente et majestueuse allure, le tour du rond-point, comme deux hirondelles en patrouille. Gilbert-le-jeune (il n'a pas dix-huit ans révolus) saute à terre.

— Tu as trop chargé ton sac, dit-il à Jean-Philippe. Vingt boîtes de sardines... Si un flic passe, il va croire que tu as pillé un resto de marché noir.

Gilbert est accoutré de vêtements qui ont le don de crisper Jean-Philippe : un blouson américain de récupération, des chaussettes à carreaux de couleur vive, en plein juillet, et des chaussures à semelles compensées qui viennent droit de New York. Son père les a achetées l'année précédente à un GI désargenté. Il porte autour du cou un foulard rouge. Jean-Philippe, fils d'un riche dentiste du 16e arrondissement, pense que cela fait mauvais genre. Serge lui-même en est exaspéré. Avec une telle recrue, sa troupe a l'air d'une bande de Faucons rouges.

Mais Gilbert tient à ce foulard, qu'il roule dix fois par jour à la façon des scouts.

— Tu pourrais m'aider, lance-t-il à Jean-Philippe, qui, superbement, le regarde remplir son sac.

Avec méthode, il répartit les conserves dans les poches latérales, prend dans son propre bagage, singulièrement moins lourd, une partie des vivres. Les petites mains agiles du garçon mal nourri font merveille pour construire au carré un vrai sac de routier. Serge n'a pas un geste d'encouragement, pas un regard d'approbation. Il consulte seulement sa montre, qu'il tire d'une poche de son gilet de cuir.

— Il est six heures.

Les mots tombent de ses lèvres minces comme une sentence. Jean-Philippe considère son Alcyon déchu.

— Il ne roulera plus jamais, dit-il simplement.

Excédé, Serge range sa bécane, retourne d'un geste le

9

vélo accidenté. Les mains dans le cambouis, il vérifie le pédalier, tire la chaîne, change les trois vitesses en faisant tourner la roue. Le carter, cabossé, gêne le mouvement. Avec la pointe de son couteau, il le dévisse, l'arrache, le glisse sous le rabat du sac de Jean-Philippe. Médusé, n'osant protester, celui-ci attrape par le guidon, précipitamment, l'engin remis sur ses jantes, que l'autre vient de lâcher.

— En selle, dit Serge. Nous allons prendre l'autoroute.

Ils ne peuvent s'enfoncer dans le tunnel du pont de Saint-Cloud. A l'entrée, les motards de la police veillent. Les trente kilomètres de l'autoroute de l'ouest, construits avant la guerre, ne sont pas embouteillés mais les véhicules militaires américains y roulent à grande vitesse : des jeeps, des camions bâchés.

— L'occupation continue, dit Gilbert.

— Ce n'est de la faute de personne si les Français n'ont pas de voitures, corrige Serge, qui salue ironiquement le brigadier, la main à la visière de sa casquette de coureur cycliste.

La montée de Saint-Cloud est dure : Serge a décidé de rejoindre la nationale 13 à Rueil-Malmaison, pour gagner du temps. En tête du peloton, suivi par Jean-Philippe qui grimpe en danseuse, arc-bouté à son guidon chromé, orné d'un petit fanion aux couleurs américaines qui lui indique le sens du vent. On peut y lire les insignes d'un yacht-club. Un cadeau de ses parents, pense Gilbert qui enrage d'être précédé par ce paladin des beaux quartiers qui sait obtenir des autres attentions et services, grâce à son attitude de fils de famille à qui l'on ne demande pas n'importe quoi. Manifestement, l'animal a du souffle et les muscles souples des enfants entraînés au tennis et aux cours de natation de la piscine Molitor.

Gilbert tente de forcer la cadence. En vain. Le poids du

sac entraîne son vélo vers l'arrière. La chaîne saute dans la côte. Il doit s'arrêter pour la remettre en place. Il peste contre son père qui lui a acheté un Alcyon d'occasion, « remis à neuf » dans un garage louche de Montrouge. Quand il passe en troisième, le dérailleur grince, prend du mou, patine. Il est obligé de redescendre pour enclencher la vitesse à la main. Ses épaules étroites, ses longues jambes minces donnent à penser à Serge qu'il ne pourra suivre la cadence. Pourtant, dans son enfance, il a pédalé sur les côtes du Limousin, qui ne sont pas tendres aux coureurs. Ses mollets de coq ont des muscles durs et, malgré sa pâleur, ses yeux noirs, souvent inquiétants de fixité, révèlent l'énergie sauvage du malingreux qui ne veut pas perdre. Quand il était enfant, Gilbert collectionnait les photos de champions du Tour qu'il trouvait dans les paquets de chewing-gums : des petites plaques roses dont il faisait des bulles, en contemplant le visage émacié, crispé par l'effort de ses héros favoris : Speicher, Maes, Antonin Magne. Gino Bartali avait vingt-quatre ans quand il a gagné en 1938. On dit qu'il sera au prochain départ, à trente-sept ans. Quel exemple !

Gilbert appuie sur la pédale avec frénésie. Il veut rattraper son retard. Quand la chaîne saute pour la troisième fois, il achève la côte le vélo à la main. Lorsqu'il arrive au sommet, les traits défaits, les cheveux en bataille, les autres n'osent se moquer.

— Tu montes un tocard, dit simplement Serge, qui se dévoue pour remettre la chaîne en place.

Ils s'arrêtent à la terrasse d'un caboulot de Rueil, où l'on vend des frites en cornets arrosées de bière. Un groupe de cyclistes, attablés près de deux Américains en uniforme, chantent bruyamment *La Jeune Garde*.

— Passons vite, dit Jean-Philippe avec une pointe de dégoût. Ce sont des Faucons rouges.

Gilbert ignore tout de cette organisation. Mais ils

11

portent le même foulard que le sien. De façon différente, il est vrai : le plus athlétique d'entre eux l'a noué autour de ses cheveux, façon pirate des Caraïbes. Sa chemise est ouverte, on le distingue musclé, bronzé déjà, il doit pédaler torse nu. C'est lui qui chante le plus fort, surveillant les Américains qui boivent leur bière en mâchant du chewing-gum. Gilbert s'assied avec ses amis sans oser répondre aux signes d'amitié que lui adressent les chanteurs.

— Des anarchistes, commente Jean-Philippe. Ils se disent socialistes, mais ce sont des trotskards. Ne restons pas longtemps, ils cherchent partout l'incident.

Le boucanier des mers du Sud s'approche des deux GI qui s'intéressent de près à la serveuse, une brune aux bras nus. Elle évite autant qu'elle le peut leurs parages et semble agacée par leurs œillades. L'un des soldats sans ménagement, se permet de la prendre par la taille et veut la forcer à l'embrasser : le garçon au foulard rouge, qui n'attendait que cela, renverse d'un mouvement brusque le plateau chargé de chopes.

— Non, Georges, crie l'un des chanteurs, pas de bagarre. Le patron n'hésiterait pas à téléphoner aux MP.

Il est trop tard, l'Américain s'est levé, les poings tendus. Georges frappe le premier. Le deuxième soldat sort aussitôt son arme de service.

— Partons vite, avant l'arrivée de la maréchaussée, grogne Serge.

Il arrache son foulard à Gilbert, le cache dans son gilet.

— Je me suis trompé, dit Jean-Philippe, qui se lève en dévisageant les pugilistes, des communistes, des Jeunes Gardes !

— Merci pour votre aide, les gars, lance Georges, qui prend aussi la fuite. Nous nous retrouverons !

La jeep des MP s'arrête devant la terrasse quand les trois garçons en franchissent le seuil. Ne souhaitant pas être confondus avec la bande de Georges, ils ne cherchent pas à fuir. On les interroge pourtant, ils doivent montrer leurs papiers. Le patron du caboulot assure qu'ils sont des clients paisibles, qu'ils n'ont rien à voir avec les communistes. Méticuleux, le sergent casqué de blanc note les faits que Jean-Philippe, qui tout jeune, parlait anglais, avec ses parents à Newport, leur expose.

Quand il apprend que les trois Français projettent un raid à vélo vers la mer, il hoche la tête.

— *Good luck*, dit-il à Serge dans une bourrade à lui démettre l'épaule.

Ces gens se croient tout permis, pense Gilbert. De quel droit contrôlent-ils des citoyens français ?

Le dernier à remonter en selle, les yeux dans le vague, il a le sentiment de s'être conduit comme un lâche. Il a laissé Serge lui arracher son foulard. Il n'a pas assumé ses couleurs.

— Mon foulard, dit-il à Serge, le regard soudain brillant.

Une fois de plus, Gilbert est à la traîne. On roule pourtant sur le plat, dans la forêt de Saint-Germain. Un parcours tranquille, sous les frondaisons. Mais le moral fait le cycliste, instille l'énergie dans les mollets et les biceps. Ceux de Gilbert ne répondent plus aux commandes. Il mâche du mépris, et le train s'en ressent. Les humiliations de son adolescence lui reviennent brusquement en mémoire, en cascade. L'entraîneur de football de son club du Limousin, qui avait refusé de l'engager : trop chétif, trop léger. Il tomberait au moindre choc. Et le cheval-d'arçons... il avait pris l'habitude de se dérober à cet exercice, qui lui inspirait les plus grandes craintes. Il n'avait pas peur de se blesser, mais d'être ridicule. Ses camarades faisaient la queue pour sauter chacun à leur tour. Le professeur ne connaissait que cet exercice et contraignait les classes à sauter, des heures entières, d'un bout de l'année à l'autre. Ce nain musclé et stupide — il dansait, disait-on, le soir dans un cabaret — se reposait de ses folles nuits en obligeant les élèves du lycée Henri-IV à franchir indéfiniment l'obstacle, se contentant de les observer de loin. Il était facile de s'y soustraire : il suffisait de regagner le dernier rang quand on était à l'avant de la colonne. Gilbert avait ainsi réussi à échapper au cheval-d'arçons, si discrètement que ni le professeur ni ses camarades ne s'en étaient aperçus. Pourquoi était-il donc le seul à tricher, le seul dont on admît tacitement qu'il pouvait le faire ?

Un jour son manège avait pris fin : non que le professeur l'eût surpris, mais il avait été remarqué par un des premiers de la classe, un de ses rivaux en mathématiques et en sciences naturelles, qui lui disputait l'excellence. « Quand on prétend aux premiers rôles, lui avait-il dit, on donne l'exemple. Tu méprises les autres, et tu te méprises toi-même. »

La leçon était publique, d'autant plus humiliante que Gilbert n'avait pas sauté pour autant. Il avait continué à se dérober, sous l'œil désormais hostile de ses camarades. Avait-il fait là l'expérience de la lâcheté ?

Trois fois, quatre fois, les autres avaient dû s'arrêter pour l'attendre sur la route de Mantes-la-Jolie où les automobiles étaient rares. Les jeeps et les GMC avaient disparu. Les Américains ne se plaisaient qu'autour de Paris. Quelques voitures d'avant la guerre, des Juvaquatre, des Peugeot au pare-chocs arrondi, les croisaient, répandant des traînées de fumée noirâtre, comme si elles roulaient à l'essence de térébenthine. Les cyclistes étaient plus nombreux, des facteurs au képi à liséré rouge aux gendarmes en tournée. Il n'était pas rare qu'une voiture à cheval traversât la nationale, sans que le conducteur eût à hâter le pas de sa monture. Les moteurs à explosion n'avaient pas encore conquis l'asphalte.

La route était bosselée, trouée de nids-de-poule,

sinueuse et par endroits fort étroite. Quand on aperçut au loin, le scintillement de la Seine sous le soleil, entre deux bosquets de sapins, la colonne fit halte. Serge avait offert à Jean-Philippe, qui avait refusé assez sèchement, une cigarette américaine. Il n'aurait jamais l'idée d'en proposer à Gilbert, comme si la fumée eût dû l'étouffer. Il était décidément le gamin de la bande, celui qu'on devait attendre. Pour le consoler, Serge lui avait rendu son foulard rouge, qu'il avait soigneusement roulé avant de le nouer autour de son cou avec une bague de cuir tressée.

Ils avaient repris la route pesamment, s'engageant dans la descente en lacet vers le fleuve. Très vite les deux premiers avaient pris de l'avance. Leur poids les entraînait, leur donnait l'avantage. Gilbert pédalait à perdre haleine pour les suivre. Il enrageait d'être distancé et prenait les virages à la corde, pour gagner de la vitesse, au risque de crever ses pneus sur le gravillon des bordures.

Soudain, en plein virage, une voiture noire surgit, qui n'a pas le temps d'éviter le cycliste. Gilbert réagit en une fraction de seconde. S'il donne un coup de guidon à gauche, il se fracasse contre le rocher. A droite, c'est le vide. Il n'hésite pas. Le salut, s'il existe, est à droite.

Projeté par-dessus son vélo, il tombe, en contrebas, dans une immense ronceraie. Les tiges épaisses, aux milliers d'épines, le retiennent prisonnier. Il n'y voit plus clair et, aveuglé par le sang, se croit blessé à la tête. Son blouson américain est en lambeaux. Sa chemise elle aussi est en loques. Des douleurs atroces aux jambes, aux bras. Il ne peut bouger ses membres. Le moindre mouvement l'enfonce plus profondément.

Il ouvre les yeux, prudemment, en les essuyant avec sa manche de chemise déchirée. Il remue la tête dans tous les sens : rien n'est brisé, les membres répondent. Tout près de lui, un piquet, large, épais, couvert de mousse. S'il l'atteint, il est sauvé. Chaque geste est un martyre qui creuse de nouvelles griffures. Il comprend qu'il doit remonter la pente, au lieu de se laisser aller vers l'aval. Quand il parvient enfin au piquet, il glisse contre lui, se protégeant la tête.

Dans la pénombre de verdure, il distingue à sa gauche une sorte de couloir. Un sanglier peut-être. Il songe au conseil de son grand-père garde-chasse : « Si tu vois un sanglier, n'attends pas sa charge. Précipite-toi sur la branche d'un arbre. »

Et s'il tombait, en rampant ainsi, sur une cache de sanglier ? Il écarte aussitôt cette hypothèse. Il lui faut grimper jusqu'en haut pour retrouver la lumière. Il a du mal à dégager ses pieds. Des ronces le retiennent. Il ne peut les trancher et doit s'arracher en force. En repoussant les tiges de ronces du pied, au prix d'une vive souffrance, il réussit à se hisser, mètre par mètre, vers le sommet de la pente.

Il aperçoit alors, dans la lumière éblouissante, la touffe blonde d'une tignasse de cheveux fous penchée sur son vélo. Gilbert appelle de toutes ses forces. La longue silhouette, affinée encore par un imperméable mastic, ne correspond ni à Serge ni à Jean-Philippe. Gilbert est effrayé par les yeux clairs, impitoyables. Des yeux de fugitif. L'inconnu lâche le vélo, observe Gilbert, semble hésiter puis s'enfuit en courant.

Le vélo serait indemne, sans son guidon tordu et son pneu avant crevé. Le sac a été ouvert. Gilbert fouille à la hâte. Le Kodak que lui a confié sa mère est toujours là. Les vêtements de rechange aussi. Un affamé, se dit le garçon. Un prisonnier de guerre en cavale.

Il n'a rien pu distinguer. Portait-il inscrites sur sa manche les lettres PG ? L'homme ne s'est pas enfui vers la route, il s'est dirigé vers le fond de la vallée. Silence total sur l'asphalte, Gilbert colle son oreille contre la chaussée, comme on fait sur les rails du chemin de fer pour entendre si les trains s'annoncent. Rien. Pas le moindre bruit de moteur. La voiture qui l'a expédié au fond du ravin a bien sûr disparu. Le conducteur ne s'est pas arrêté.

Il sort les rustines de la sacoche pour réparer sa roue. Malgré ses mains en sang, Gilbert reste un virtuose de la râpe et du démonte-pneu. Il gonfle la chambre avec la petite pompe d'enfant que l'on place alors, par esprit d'économie, sur les vélos d'adulte. Personne ne passe, mais il doit reprendre la route sans tarder. Ses camarades vont-ils avoir fait demi-tour ? Il devine leur impatience. Il s'en moque. Ne revient-il pas de l'enfer ?

— Montez toujours, je vais à Aubergenville.

Le vieux a eu pitié de lui. Gilbert a placé son vélo à l'arrière de la camionnette et s'est assis sur un sac de patates. Ils croisent une voiture de gendarmes. Le conducteur fait signe d'arrêter.

— C'est vous, Gilbert ? Vos amis vous attendent à la brigade. Suivez-nous.

Le vieux s'inquiète un peu de l'avoir chargé. On n'est sûr de rien, avec les gendarmes, quand on transporte du ravitaillement. Il a du beurre et des fromages cachés au fond des sacs de pommes de terre. Aussitôt son passager déposé devant le poste d'Aubergenville, il prend le large.

Serge et Jean-Philippe peuvent à peine parler à Gilbert, celui-ci est aussitôt entraîné par le chef de brigade vers un dispensaire. Après un bref interrogatoire, il en sort transformé en Indien, balafré d'Albuplast, badigeonné de Mercurochrome.

Il se jette dans les bras de Jean-Philippe et de Serge, dont l'indifférence bourrue est débordée, tant il craignait de ne jamais les revoir. Qu'ils l'aient attendu chez les gendarmes et se soient inquiétés l'émeut profondément. Il a trouvé de vrais amis.

C'est d'autant plus attendrissant qu'avant ce voyage rien ne les rapprochait. Ils se voyaient peu dans l'année. Les compagnons de Gilbert étaient de son espèce :

17

bûcheurs, pâlots et cloîtrés. L'idée de coucher sous la tente pendant un mois en Normandie et de parcourir des kilomètres à bicyclette leur paraissait absurde. Serge, dans une autre classe, ne fréquentait pratiquement pas Gilbert, mais était très lié avec Jean-Philippe. La décision de partir tous trois avait été prise à la va-vite, entre eux, sans consulter leurs parents.

Jean-Philippe parlait beaucoup de son père. Serge et Gilbert étaient plus discrets sur ce point. Non qu'ils eussent rien à cacher : par indifférence plutôt. Si Jean-Philippe insistait sur le métier de dentiste, c'était toujours pour dire qu'à aucun prix il ne voulait l'exercer. Serge avait l'intention de se présenter à Saint-Cyr, ce que les autres trouvaient bouffon. Peut-on vouloir être militaire en 1946 ? Mais Serge ajoutait aussitôt que, n'étant pas bon élève, il avait choisi la voie la plus facile pour être pris en charge rapidement par une administration. Jean-Philippe disait quelquefois, dans ses moments de cafard, qu'il aurait pu se présenter au tout nouveau concours de l'École nationale d'administration, s'il avait eu le courage d'apprendre le droit. Avant d'ajouter qu'il cherchait un emploi tranquille qui lui permît d'écrire : les ambassades, comme Claudel ou Giraudoux. Gilbert lui faisait plaisir quand il lui répondait qu'il n'avait pas la tête d'un « inspecteur des poids et mesures ». Prix de philosophie chez Taublanc, dont le discours marxiste n'aurait pas déparé un cercle avancé des années 1890, Gilbert se destinait aux lettres. Jean-Philippe y songeait aussi, mais il avait la noble indolence des riches, qui voyagent en automobile et couchent dans des hôtels chauffés. S'il partait camper en Normandie, c'était avec le même désir d'aventure qu'un André Malraux — son modèle — s'embarquant pour la Chine.

Car Jean-Philippe était gaulliste, éperdument gaulliste, quand personne ne l'était plus. Être gaulliste à cet âge, en 1946, relevait de la gageure. Un cas unique, que soulignaient avec dérision les membres du groupe communiste compact de la classe de Taublanc qui répétait inlassablement sur son perchoir : « Les Américains vont perdre le monde car ils sont en train de perdre la Chine. » Personne ne reconnaissait plus le Malraux de *La Condition humaine* et de *L'Espoir* dans le serviteur du défunt Gouvernement provisoire, disparu de la scène politique et littéraire en même temps que son maître. N'était-il pas désormais voué au silence alors que les Sartre, les Camus, les Merleau-Ponty ou les Garaudy devenaient les nouvelles idoles de la jeunesse universitaire ? Il y avait chez l'aventurier aux yeux noirs un je-ne-sais-quoi de désuet qui inspirait l'indifférence, en dépit de son engagement dans la Résistance. Les communistes qui avaient chahuté Paul Claudel lors d'une vente de livres à la Sorbonne n'auraient pas eu l'idée d'attaquer Malraux. Le révolutionnaire des années trente ne faisait plus recette, même en province.

Jean-Philippe trouvait à Malraux du charme. Il ne lui déplaisait pas qu'il fût, comme de Gaulle, soustrait à l'actualité de cette nouvelle république qui le dégoûtait, autant que la République des lettres. Il haïssait pêle-mêle Aragon et Eluard, trop présents dans la presse communiste alors envahissante, mais également les « existentialistes », maîtres de la revue *Les Temps modernes,* aussi conventionnelle à ses yeux que la livrée blanche à liséré rouge de la *NRF.* Ce qu'il savait de Jean Paulhan ne lui inspirait qu'une réserve coléreuse. Le résistantialisme littéraire, après une longue période où les écrivains de la *NRF* s'étaient vautrés dans les salons de l'occupant, lui semblait vain. Il était de ceux qui reprochaient alors à Sartre d'avoir donné un article à une revue de collaborateurs et d'avoir sorti *Les Mouches* pendant l'Occupation. Il pensait en somme, comme le critique autorisé des *Nouvelles littéraires,* Étienne Lalou, que *La Nausée* serait « le testament littéraire de Monsieur Sartre ».

Les jugements de Jean-Philippe, abrupts, souvent brillants, faisaient sourire Gilbert. Il savait que son camarade au physique avantageux, toujours vêtu avec recherche et décontraction, admirait en Malraux l'image de l'écrivain : les longs cheveux, la cigarette au coin de la lèvre, le col du pardessus relevé dans la tempête, à la manière de Jean Moulin, le regard enfiévré de passion ou dilaté par l'imagination prophétique. Son snobisme le poussait à mettre en vedette celui que tous voulaient enterrer dans le silence de Colombey-les-Deux-Églises. On pouvait admettre ce culte littéraire pour un personnage déjà oublié, mais non qu'il applaudît aux élections de Paris en 1946 qui avaient porté au pouvoir municipal le frère du général. On pouvait aimer Charles, mais Pierre de Gaulle n'était pas homme à susciter l'enthousiasme des foules. « C'est un début, disait Jean-Philippe. Il reviendra. »

Gilbert ne voyait aucun intérêt à changer de république car il estimait qu'elles étaient toutes bancales, lieu de rencontre des grands appétits. Il ne contrariait pas Jean-Philippe sur ce point, ne cherchait même pas à s'expliquer le mirage gaulliste de son camarade. Hérédité ? Il semblait que le dentiste, qui recevait Jules Romains et admirait Saint-John Perse, fût plutôt l'ami des Américains. Son fils était un cas, mais ne gênait personne. Gilbert trouvait assez admirable que le jeune bourgeois se fût offert une bicyclette pour les suivre en Normandie, et qu'il en eût même pris l'initiative. Fallait-il qu'il s'ennuie, en vacances chez ses parents, à Deauville !

Personne ne se préoccupait de savoir ce que Serge pouvait penser. S'il était le chef naturel de la patrouille, c'est qu'il avait à vélo le meilleur coup de reins. Jean-Philippe reconnaissait qu'il savait planter une tente. Il ne faisait guère confiance sur ce point à Gilbert, le gringalet, Gilbert, le raisonneur. Il avait pourtant été fort surpris, à l'étape d'Évreux, de le voir planter les piquets et choisir mieux que Serge la position dans le champ, entourant la tente de rigoles creusées au piolet de montagne, pour éviter les inondations-surprises. Ignorant encore le passé rural et scout d'ancien chef de la patrouille des Lions de Gilbert, Jean-Philippe semblait surpris qu'un premier de la classe parvînt à allumer le bois mouillé, ce que lui-même n'avait jamais tenté de faire. L'équipe se soudait ainsi, par admiration discrète des uns pour les autres, même si la pudeur commandait de n'en point faire état. Serge appréciait, pour sa part, que Gilbert sût faire cuire à point les pommes de terre sous la cendre et qu'il eût promis, pour les prochaines étapes, des platées de nouilles au lard. En plus d'un philosophe, il découvrait un cuisinier.

Pourquoi voulaient-ils voir la mer en Normandie ? Cette passion secrète, qu'aucun ne voulait avouer, venait de sources diverses : Gilbert devina très vite que Serge brûlait de voir les champs de bataille, de toucher du doigt les chars héroïques de Montgomery déchiquetés dans la plaine de Caen. Dans sa veste kaki, ceinturé de cuir et toujours rasé de frais, Serge avait déjà l'allure d'un soldat. Plus grand, plus fort, plus maître de lui, capable d'efforts et de courage, il avait le laconisme des chefs. Même s'il dissimulait ses espoirs, il ne fallait pas être grand clerc pour deviner qu'il partait dans la vie déçu d'avance. Il ne débarquerait jamais à Avranches. Le commando Kieffer était du passé. Il ne ferait pas flotter le drapeau à Strasbourg et à Berchtesgaden. Cette gloire neuve dont les journaux avaient abreuvé la jeunesse depuis 1944 faisait sentir aux générations suivantes qui se destinaient à l'état militaire leur inévitable impuissance. On partait en Indochine la mort dans l'âme. La guerre coloniale était un exil misérable. On n'embrasserait pas les filles dans les rues de Paris libéré.

Avant la rentrée, Serge voulait respirer une bonne fois le grand air de l'aventure guerrière, imaginer sur place, lui qui rêvait si peu, le formidable événement du Débarquement qui avait secoué, au matin du 6 juin, toutes les classes endormies de tous les lycées et collèges. Serge allait débarquer.

Jean-Philippe cherchait-il, quant à lui, à retrouver le sable des plages normandes auquel il était habitué depuis qu'il était enfant? Il avait acheté des produits solaires pour bronzer élégamment. Ces flacons étaient alors rarissimes. Gilbert, en les voyant dans son sac, les avait pris pour de l'huile de friture. La grande maison familiale de Deauville, endommagée par les bombardements, défigurée par l'installation dans ses murs de l'état-major allemand, était encore inoccupée. Peut-être Jean-Philippe cherchait-il à retrouver le hâle de son enfance, les cris joyeux des filles au sortir de l'eau toujours fraîche, les jeux de plage et les danses qui avaient repris dans la France libérée, au son des phonographes.

Mais au-delà des souvenirs d'enfance, lorsqu'il avait pointé sur la carte Bayeux et la petite ville de Courseulles, il avait avoué le désir de retrouver les étapes d'une épopée : le voyage normand du Général du 14 juin 1944. Les premiers pas sur le sol français. Le retour de l'exilé. En attendait-il une émotion littéraire? A l'époque où les héros faisaient « crever de rire » les Paul-Louis Courier de la presse parisienne, ce romantique était à la recherche du plus solitaire des Français, du plus beau « caractère » que l'Histoire eût inventé en France depuis Victor Hugo. S'il se trouvait des hugolâtres pour vouloir coucher dans le lit tarabiscoté du poète, à Guernesey, on pouvait admettre que Jean-Philippe eût envie de marcher dans la rue de Saint-Malo de Bayeux et de guetter sur la petite plage de Courseulles le bateau venu des côtes d'Angleterre pour ramener de Londres le « général micro ». Il avait aussi pointé Creuilly sur la carte.

— Pourquoi Creuilly? avait demandé Gilbert.

— Le PC de Montgomery était par là.

Autant Jean-Philippe faisait profession de haïr les Américains, autant il était anglomane. Il avait lâché d'amers propos en passant devant le camp d'aviation d'Évreux où atterrissaient, dans le soir, les lourds DC 3 et les Lightning au double fuselage. S'ils étaient encore là, disait-il, c'est que de Gaulle ne pouvait plus y être. Jadis, dans la Normandie libérée, ils avaient voulu imposer des administrateurs américains, des billets de banque frappés aux USA. Aucune admiration chez Jean-Philippe pour la civilisation technicienne, pour les miracles du Victory Program. Il regardait défiler le carrousel des avions avec dépit, comme s'ils eussent pollué le ciel. Ils ne camperaient certes pas dans la zone américaine. Courseulles était très bien : libéré par les Britanniques.

— En es-tu sûr ? avait dit Serge. Nous verrons bien sur place.

Ces querelles semblaient à Gilbert des enfantillages. Il était le seul qui attendît de l'expédition une émotion qui ne devait rien à l'Histoire. Son désir était simple : pour la première fois de sa vie, au prix d'une randonnée à vélo, il voulait voir la mer. Il attendait cette découverte avec une sorte de griserie. Il humait l'air d'Évreux pour mesurer sa salinité. Il guettait le ciel pour y surprendre les mouettes. Il serait une fois de plus ridicule, puisqu'il était le seul à ne pas savoir nager. Que lui importait ! Il s'était juré d'entrer dans la mer tout habillé, jusqu'à ce qu'il eût de l'eau par-dessus la tête, en répétant les vers d'Eluard :

J'étais comme un poisson nageant dans l'eau fermée.
Comme un mort je n'avais qu'un unique élément.

Chapitre 2

Le sel de la mer

PERSONNE ne chine plus Gilbert sur son foulard rouge. D'une voix monocorde, le soir à la veillée, avec des inflexions étouffées comme s'il s'efforçait encore, deux ans plus tard, de maîtriser sa colère, il avait raconté toute l'histoire à ses amis.

Il avait expliqué posément que son foulard, avant d'être rouge, était gris et rouge, du temps où il appartenait, comme chef de la patrouille des Lions, à la troupe de scouts de Saint-Étienne-du-Mont. Il avait raconté, la gorge nouée, comme il aimait bien les scouts, les garçons de sa patrouille, les soirées à feu de bois avec l'Enchanteur Merlin. Il connaissait par cœur la prière chantée, il servait la messe, le dimanche, marchant allégrement sur le bonnet carré du curé quand il portait le lourd missel d'un bout à l'autre de l'autel. Les parties de prisonniers dans les forts de la banlieue parisienne l'amusaient, et les jeux de piste, et les rallyes aux signes mystérieux. Xavier, le nouveau chef de troupe, après la Libération, l'avait déçu : un dur, qui voulait « en faire des hommes ». Il prêtait son pistolet de sous-lieutenant à la Légion étrangère et leur apprenait à tirer sur des cibles posées au sol contre les racines des arbres. Ce chef de troupe portait un grand nom de France, il était parti à la guerre comme ses ancêtres à la croisade, volontaire dans la Légion. Il obligeait ses quatre patrouilles à franchir les larges et profonds fossés du fort de Verrières-le-Buisson sur des ponts de singes, au risque de se rompre le cou. Quelle honte! Le chef de la patrouille des Lions avait refusé d'effectuer cet exercice périlleux, comme il s'était dérobé pour le cheval-d'arçons du lycée. Alors Xavier l'avait chargé sur son dos et lui avait fait franchir l'obstacle, en s'aidant d'une seule main, sous les yeux de la troupe hilare.

En faire des soldats, des vrais, au lieu de jouer à des jeux d'enfants, c'était son but. Or, Gilbert n'aimait que les jeux d'enfants, ceux qu'il avait lus, jadis, dans *Le Livre de la jungle*. Il n'avait pas envie de faire la guerre, ayant côtoyé la mort de près. Il se souvenait encore du résistant qu'il avait vu mourir assassiné à bout portant devant lui, en pleine rue, à la sortie du lycée. Et des corps mutilés dans les wagons bombardés. Il avait lui-même échappé de peu à la mort, au cours d'un voyage en train. S'il allait chez les scouts, c'était pour rêver d'engagements imaginaires, et les rallyes à signes de piste évoquaient pour lui l'aventure de Lancelot poursuivant le Graal. Quand il tirait avec le pistolet du chef, l'arme tremblait dans sa main.

Gilbert se souvenait d'avoir défilé devant l'Étoile avec toutes les troupes de scouts venues de province. *L'Humanité* avait titré le lendemain : « Cinquante mille jeunes fascistes descendent les Champs-Élysées ». Était-il un « jeune fasciste »? Il se souvenait du visage ironique du vieil anarchiste barbu du Quartier latin qui criait « A bas la calotte » en vendant son journal, quand les scouts aux jambes nues sortaient de la messe, à midi, devant Saint-Étienne-du-Mont. Ce jour-là, Gilbert avait eu honte de son uniforme, de ses étoiles, badges, galons dorés, chaussettes à pompons et de son chapeau à quatre bosses à bord rigide, que son père lui avait fait fabriquer tout spécialement pour qu'il eût l'air d'un vrai scout, au lieu de se couvrir le chef d'une loque en feutre informe qu'un clochard n'aurait pas voulu porter. L'idée même d'uniforme le rebutait. En avait-il vu, pendant les années sombres, des bleus, des noirs, des vert-de-gris ! S'il avait de la sympathie pour les fifis à brassard tricolore, c'est qu'ils étaient en civil. Il avait admiré les Leclerc parce que leurs pompons et leurs calots rouges n'avaient pas l'air vrais : ils étaient habillés comme des soldats de plomb. Ils annonçaient la fin de la guerre, la reprise du grand jeu scout, celui qui excluait les victimes et les bourreaux.

Xavier n'était certainement pas de cet avis. Il ne voulait pas jouer, mais apprendre à tuer. Il sentait la guerre, elle suait de tous ses pores. Il avait reçu le même entraînement que ses ennemis. Il savait étouffer, égorger, assommer, étriper avec idéal. Il croyait, comme Godefroi de Bouillon, au dieu des armées. Fasciste, Godefroi de Bouillon ? Non, sans doute. Mais Gilbert ne faisait plus la différence : les mains d'étrangleur du chef, ses bras puissants qui lui rappelaient les exploits de Du Guesclin lui inspiraient à la fois crainte et dégoût. Il n'admirait plus les héros vivants.

La distance, le jeu. Il n'aimait plus les exploits guerriers que sur papier sépia, avec le recul du temps. Dieu lui-même n'apparaissait au jeune homme qu'en organisateur du grand jeu, celui qui permet, en soufflant l'esprit, de substituer le symbole à la nécessité. Le Dieu du chevalier du Lac pouvait-il avoir quelque chose de commun avec celui des bouchers, des égorgeurs, des assassins ? Dieu pouvait-il aimer la guerre ? En supporter seulement l'idée ? N'avait-il pas pour fins, s'il en avait, de protéger la créature ? La *creatura :* Gilbert aimait ce mot espagnol qui signifie l'enfant qui naît, Jésus au berceau. La souffrance du Christ barbu de l'Écriture lui semblait intolérable, du point de vue de Dieu. Pouvait-il imposer à son propre fils le fouet, la lance et la couronne d'épines ? Le chef pouvait faire aboyer son parabellum sur des ennemis qui croyaient aussi en leur Dieu, puisque le Christ, en faisant lui-même l'épreuve de la souffrance, l'avait en somme légitimée. Pouvait-on en son nom torturer et châtier ? Répondre au mal par le mal ?

Le jeu, soit. Xavier avait une idée de jeu.

— Vous irez, les yeux bandés, voir la paysanne au bout du chemin. Vous lui demanderez de l'eau. Sans enlever le bandeau. Vous reviendrez par le même moyen, en vous guidant l'un l'autre.

Un jeu étrange, qui se jouait à deux. La paysanne n'était pas dans le coup. Était-elle complice ? Non, à l'évidence. Le chef ne l'avait pas prévenue. Son but était, précisément, de lui imposer un jeu absurde, sans méchanceté, par indifférence. Elle ne comptait pas. Elle était en dehors du jeu. L'idée de Xavier était de soumettre Gilbert, le responsable rebelle de la patrouille des Lions, à une épreuve.

A un piège plutôt : s'il retirait le bandeau, il se discréditait devant la troupe. S'il le conservait, il se rendait ridicule : quel exploit que d'aller chercher de l'eau les yeux bandés ! Au détour du chemin, Gilbert dit à Claude, son adjoint :

— Je ne veux pas que cette paysanne croie que nous nous moquons d'elle. Ce jeu est absurde. Xavier se paie notre tête, à son aise. Mais il n'y a pas de raison d'associer cette femme à une absurdité. Je ne vois pas pourquoi nous aurions le droit de la mépriser.

Gilbert était sincère. Il pensait aux paysannes de la campagne de Guéret. Elles auraient lâché les chiens, à coup sûr...

Claude n'avait pas soulevé d'objection. Il trouvait aussi le jeu stupide. Ils avaient rempli leurs sacs de toile en accordéon, et repris le chemin du camp.

Xavier, qui les avait suivis, surgit au moment où ils remettaient leurs bandeaux.

— Tu n'es pas digne de jouer le grand jeu scout, dit-il à Gilbert. Tu ne dois plus faire partie de cette troupe.

Ainsi, il lui avait tendu un guet-apens. Le descendant des croisés avait agi comme un adjudant de gendarmerie, qui piège le prévenu par un interrogatoire vicieux. Gilbert était indigné. Les grands airs étaient pour la parade. A la cour de Versailles, peut-être. Chez eux, dans leurs fiefs, ces paladins de Charlemagne ne supportaient pas la moindre révolte des vilains. Prêts à risquer leurs vies, certes, mais non leurs biens. Pour le chef, la troupe faisait partie de ses gens. Ils devaient jouer « le grand jeu scout ». Gilbert se souvenait des vers de Hugo :

> *Nous qui sommes*
> *de par Dieu*
> *gentilshommes*
> *de haut lieu*
> *il faut faire*
> *bruit sur terre*
> *et la guerre*
> *n'est qu'un jeu.*

Un jeu pour lui, certes, se dit Gilbert. Mais il ne veut pas y jouer seul. Il veut que ses gens soient de la partie, qu'ils se fassent tuer comme lui, sur son ordre. Qui vole un œuf vole un bœuf. Qui retire le bandeau devant la paysanne refusera de mourir pour le clan. Le chef peut exercer son droit de haute justice, sa mystification parodique a réussi : le jacques est pieds et poings liés. Qu'on le conduise devant le front de la troupe.

L'inculpé comparut donc devant le tribunal scout, sous l'inculpation de haute trahison. La cour se composait des deux frères justiciers — le jeune frère de Xavier était sous-chef de troupe —, de l'aumônier ainsi que d'un représentant supérieur du mouvement, qui présidait. On demanda à l'accusé s'il n'avait rien à regretter.

28

— Rien, monsieur le président, répondit Gilbert. Ce jeu n'avait d'autre signification que de nous contraindre à l'obéissance aveugle. Nous ne sommes pas des aveugles. Et pas encore des militaires. Encore moins des légionnaires.

Ce discours raisonnable eut le don d'exaspérer le tribunal. Il ne se retira pas pour délibérer. La sentence devait avoir été préparée d'avance. L'aumônier avait déjà confessé le prévenu. Il savait qu'il était inaccessible au remords et même au regret, puisqu'il n'avait aucune conscience de sa faute.

Gilbert fut donc condamné à être dégradé, à perdre son titre de chef de patrouille. Il pourrait rester membre de la troupe de Saint-Étienne-du-Mont s'il en exprimait le désir, mais d'abord s'il faisait acte de repentance publique.

Il n'en était pas question. A la sortie de la messe du dimanche, la troupe fut réunie au carré, dans le « local » parisien. Les quarante scouts étaient regroupés dans les quatre patrouilles. Gilbert était provisoirement à son rang. On le convoqua au centre de la pièce, il apprit qu'il n'était plus digne de faire partie de la troupe. On le priait de vouloir bien rendre son foulard. Il refusa.

Le sous-chef s'approcha de lui ; avec son poignard, il fit sauter les insignes de commandement du pull-over bleu marine. On lui retira l'écusson de l'Île-de-France, l'inscription « Scout de France » en arc de cercle qu'il portait à l'épaule, la croix scout en émail, le foulard gris et rouge aux couleurs de saint Étienne, enfin les insignes des deux seuls badges qu'il eût réussi à obtenir : ceux de l'histoire de l'Église et des Saintes Écritures. Il manquait un tambour pour fermer le banc et un officier pour commander le peloton d'exécution. Gilbert ne devait plus jamais remettre les pieds à la troupe de Saint-Étienne-du-Mont, ni revoir ses camarades de la patrouille des Lions.

Il les quittait avec regret. Il aimait leur amitié discrète, chaleureuse, leur indulgence compréhensive pour les faiblesses de leur « chef ». C'est vrai qu'il n'avait rien d'un chef de guerre et qu'il se faisait toujours bousculer par des plus forts dans la stupide lutte au foulard dans le dos que se livraient les scouts dans la poussière des casemates du fort de Verrières-le-Buisson. Mais il savait dresser le camp, allumer le feu avec du bois mouillé. Son enfance à la campagne impressionnait ses camarades citadins. Il connaissait les bons et les mauvais champignons, savait cueillir les plantes sauvages à manger en salade et traquer les lièvres dans les champs d'orge. Il fabriquait des frondes de coudrier et tirait avec adresse. Il savait construire des ponts de branchages sur les ruisseaux et mettre la tente au sec. Nul n'était plus habile à lire les pistes en forêt, à débusquer l'adversaire, à trouver le trésor caché. Il ne méritait pas son sort.

Chétif, malingre, les cheveux secs et les yeux cernés, hanté, tourmenté par l'absence de filles depuis son retour à Paris, Gilbert avait trouvé en ses camarades la communauté enfantine et villageoise qu'il avait perdue. La familiarité des filles et des garçons de la campagne était un fait en Limousin. Même s'ils étaient séparés par l'école ou le catéchisme, ils jouaient et grandissaient ensemble, découvraient ensemble — fort tôt — la vie sexuelle. A Paris, la séparation tombait comme une chape de plomb. On n'interdisait pas les filles aux garçons, on les leur enlevait. Elles étaient séquestrées dans d'autres lieux de la grande ville, dérobées aux regards, rendues grises, anonymes. On ne voyait même pas les sœurs des amis, elles étaient prises par d'autres activités, d'autres horaires. La communauté des garçons était la seule qui fût admise pour un garçon. Gilbert aimait donc ces camps de week-end, et particulièrement ces veillées où l'on se sentait proches les uns des autres. Il s'indignait des insinuations contre les scouts qu'il entendait proférer au lycée. Il n'avait jamais été témoin de scènes équivoques. Les rapports étaient confiants, sans l'ombre d'une ambiguïté.

Il se sentait à la patrouille comme dans une famille, heureux d'avoir enfin trouvé des frères. Il racontait ce qu'il tenait des vieilles de la campagne, des histoires anciennes du pays. Il apprenait des chansons d'un autre âge, il lisait les pages émouvantes du poète Gérard de Nerval sur *Trois Jeunes Tambours* ou *Les Marches du palais*. Enfin, il pouvait chanter les chansons qu'il aimait.

— J'ai seulement retiré le gris de mon foulard gris et rouge. S'il n'en reste que le rouge, c'est pour moi la couleur de l'espoir.

— Va pour le rouge, avait répondu Serge laconiquement, comme s'il admettait pour lui-même ce choix.

Jean-Philippe n'avait pas protesté. Il trouvait affreusement vulgaire de porter un foulard qui ne fût pas de soie blanche.

Le départ d'Évreux, au petit matin, n'avait pas été une partie de plaisir. Le groupe, pour la première fois, s'était chamaillé sur l'itinéraire : jusqu'à Lisieux on était d'accord pour suivre la nationale. Mais Gilbert, que la bicyclette épuisait, tenait à piquer ensuite droit sur Deauville.

— Quelle horreur ! avait dit Jean-Philippe qui ne rêvait que de Courseulles. Les planches sont détruites et le sable miné.

Serge était aussi contre : il voulait se rendre au plus tôt au cœur de la bataille, sur la plaine de Caen.

— Va pour Caen, dit-il. Nous verrons bien après.

Le trio s'était égrené sur la route, Gilbert toujours en queue. A l'étape de Lisieux, où ils étaient arrivés vers midi, Jean-Philippe avait fait un caprice.

— Je ne regorge pas d'argent, leur dit-il, et je n'ai pas l'intention de vous inviter à un grand déjeuner. Mais je ne peux pas passer par Lisieux sans goûter les exquises crêpes soufflées du restaurant du Parc. Je vous les offre, elles sont à vous, je les sens grésiller dans la poêle du chef Hervé.

— Je n'aime pas les crêpes, dit Gilbert, boudeur.

— Tu demanderas un bifteck-frites, s'ils en servent.

Le philosophe au foulard rouge se laissa entraîner vers le lieu de débauche, car il avait aussi faim que ses camarades. A l'entrée, on s'étonna de leur tenue, particulièrement des shorts sales et des éraflures et des pansements peu séants des jambes trop maigres de Gilbert. Mais le vieux maître d'hôtel reconnut, malgré les années, le minois de Jean-Philippe quand il lui dit son nom.

Cela mit un comble à la mauvaise humeur de Gilbert. Il avait finalement accepté de manger des crêpes comme les autres, pour ne pas obérer la bourse de Jean-Philippe. Le restaurant était cossu, décoré de rideaux à fleurs, les tables couvertes de nappes immaculées. Dans les verres de cristal, le trio buvait de l'eau pure. Les amuse-gueules servis au début du repas par le chef bienveillant ne les avaient pas rassasiés. On leur avait servi une autre assiette de langoustines sur canapés et de pâté de volaille.

Aux tables voisines déjeunaient des officiers américains amplement décorés, avec des femmes jeunes, qui ne portaient pas de chapeau. Leurs cheveux aux savantes ondulations étaient inévitablement blonds, et crissantes de soie leurs jambes cachées par des jupes au-dessous du genou. Les garçons servaient des brioches de langouste et des dodines de canard dont les effluves emplissaient la pièce. Les restrictions n'étaient pas de mise ici et les campeurs n'en croyaient pas leurs yeux. Gilbert allait partir, ulcéré, quand on servit les crêpes soufflées. Sans demander l'avis de Jean-Philippe, le maître d'hôtel les avait fait accompagner de vieux cidre. C'était pour Gilbert une double découverte. Il était subitement si désarmé, ayant avalé les crêpes en une bouchée, qu'il retira blouson et foulard, sans aucun égard pour son fétiche.

Jean-Philippe, heureux de retrouver le parfum des crêpes de son enfance, en oubliait de considérer d'un œil furieux les libérateurs galonnés, éméchés par le vin blanc de Saumur, et qui parlaient trop fort dans leur idiome. Serge avait bu le cidre comme de la bière, sans faire la différence, regrettant son goût trop sucré. Il aurait préféré des andouilles de Vire, ou des œufs au bacon. Il en rêvait depuis qu'il avait lu, dans un récit du *Reader's Digest,* que les soldats britanniques avaient stupéfié les Normands en vidant tous les poulaillers de la région de Bayeux pour les œufs de leurs déjeuners. Avant de reprendre la route, il commandait du thé par principe, et non du café comme les autres.

Le maître d'hôtel leur avait fait servir du calvados dans des verres à cognac, comme à des hôtes de marque, aux frais de la maison. Il marquait ainsi qu'il considérait désormais Jean-Philippe comme un homme. Celui-ci ne crut pas devoir refuser. D'autant que le vieil homme avait gardé la note. « Monsieur votre père réglera, lui avait-il dit à l'oreille. Il reprendra bien, un jour ou l'autre, la route de Deauville. »

Les conversations s'étaient brusquement arrêtées. Les doigts bagués, scintillants de diamants des Américaines restaient crispés autour des flûtes de cristal. Les officiers s'étaient statufiés, les garçons avaient cessé tout service, jetant un œil discret à la table où s'accomplissait une sorte de provocation rituelle : pourquoi avoir choisi ce restaurant réputé pour précipiter ces jeunes gens dans l'âge adulte en leur offrant des boissons fortes ? Ce genre de pratique était bon pour la foire de Saint-Honoré. Que n'étaient-ils descendus dans un caboulot de la Bouille ? Ils auraient pu se faire oublier, le rite accompli, dans les chênes de la forêt de Roumare, ou piquer une tête dans la Seine. Il était déjà intolérable que l'on admît sur les parquets luisants et les tapis de haute laine des gosses aussi mal vêtus, des campeurs de passage. Le chef Hervé sortit rouge de sa cuisine, sa toque de travers. Il était trop tard pour mettre fin au désastre. Déjà Gilbert commandait bruyamment un autre verre. Le chef prit le parti d'en rire, et le servit, montrant ainsi à la salle en émoi que ces jeunes gens étaient ses invités personnels.

Gilbert imaginait d'autres provocations, sans doute pour dissuader à tout jamais Jean-Philippe d'entrer avec eux dans un restaurant. Il faisait chanter, dans sa poche, les dents de son peigne sale. Se coifferait-il à table ? Il n'en eut pas le temps. Une famille française entrait dans la salle. Une mère et ses deux filles. La plus jeune, vêtue de bleu marine, avait la beauté d'un Raphaël.

Impossible d'imaginer un visage plus parfait. Un ovale délicat, sans arêtes. Des yeux voilés de longs cils noirs qui donnaient au regard une aura poétique et mélancolique. Une bouche, petite mais ciselée, dotée d'une troisième dimension, comme celle des Vierges de Masaccio, qui peuvent embrasser l'Enfant Jésus. Une sorte de mouche grand siècle posée à la naissance de l'épaule, dans la courbe sans faute du cou, note noire sur une portée en forme de parabole... Gilbert enregistrait le moindre détail du tableau avec une sorte d'avidité. Voulait-il le fixer dans sa mémoire pour le peindre ? Des mains charmantes, qui glissaient sur les objets. Quand elle parlait, un souffle écartait ses lèvres sans fard, des lèvres de jeune fille de seize ans.

La mère enchapeautée trônait au centre. Sa fille aînée, vêtue d'une robe d'été noire à pois blancs décolletée en carré, était assise à sa droite et décryptait le menu d'Hervé. La jeune sœur était en face, de profil par rapport à la salle. On commandait pour elle, on ne la consultait pas.

A l'empressement du maître d'hôtel, on devinait que la famille était connue, respectée. En termes précis, de ses lèvres fines, la mère passa commande, sans autre commentaire. Le chauffeur se restaurait au café de la place. Le déjeuner des dames devait être bref.

— Laquelle préfères-tu ? dit Jean-Philippe en avançant

la main sur le bras de Gilbert pour le tirer de son hébétude.

L'alcool aidant, le regard était encore plus vague, presque hagard, la bouche molle, la lèvre inférieure lourde.

— Sortons, dit Serge. Nous n'avons plus rien à faire ici, la route est encore longue.

— Nous avons tout notre temps pour la reprendre, dit, assez fort pour être entendu de la table voisine, Jean-Philippe, qui voulait être remarqué.

Il offrait son plus beau profil et roulait des œillades que Gilbert trouvait ridicules car, si ses traits pouvaient séduire par leur heureuse disposition, ses yeux légèrement exorbités, d'un bleu lavasse, n'étaient guère expressifs. Au théâtre du lycée, on lui donnait toujours des emplois de femme. Il jouait dans Molière les marquises. Des rôles sans texte.

— Nous n'arriverons pas avant la nuit.

— La belle affaire! Nous ne sommes pas aux pièces, chez Renault. Je ne suis pas parti en vacances pour me presser. J'ai déjà vu, au bord de la route, des panneaux qui m'ont donné des regrets.

Il changeait de voix, passant au registre poétique en fixant, de l'autre côté de la fenêtre, derrière la table des trois femmes, un paysage imaginaire.

— Je ne connaîtrai donc jamais, à cause de toi, butor, Corneville-la-Fouquetière? Ni Saint-Philibert-des-Champs?

Un long silence. Le visage immobile, Jean-Philippe rêvait sans bouger, guettant le commentaire des voisines. Gilbert, fort agacé par ce discours à la finalité évidente, grinçait des dents en fixant effrontément la jeune fille vêtue de bleu, épiant ses réactions. Dieu soit loué, elle restait silencieuse, comme absente. Seule sa sœur croisait et décroisait ses jambes, exhibant, comme les Américaines, ses escarpins vernis et ses bas de soie. Décidément,

35

il ne plaisait qu'aux filles aguicheuses. Rien de commun entre ces deux sœurs. Peut-être, se dit Gilbert, ne sont-elles pas du même père. Il écarta aussitôt cette hypothèse. Cette jeune fille pouvait être une amie de la famille, une étrangère, italienne sans doute. Il se souvenait de la beauté troublante des jeunes Florentines émigrées dans son Limousin. Elles avaient cette douceur dans l'ovale du visage, ces yeux toujours disponibles pour rêver, pleurer et rire. Un regard que tous les confesseurs du monde ne peuvent réussir à obscurcir, car il tire son éclat des passions de l'âme.

Gilbert est prêt à tout pour faire jaillir un éclair de ces yeux-là. Mais le moyen d'attirer l'attention sur lui, quand Jean-Philippe continue sa prestation d'acteur de boulevard! Il vient de demander au maître d'hôtel des cigarettes, ce qui exaspère Serge. Tout lui est bon, pense-t-il, pour retarder le départ. Il repousse avec horreur les Celtiques, choisit des Camel, en tire une d'un paquet blanc décoré d'un chameau, la tape sur le plat de sa main comme il l'a vu faire à son père et penche la tête quand le maître d'hôtel lui offre du feu, avec autant de cérémonie que s'il allumait un Corona. Puis il tire une bouffée et remercie d'un sourire condescendant qui pousse à son comble l'irritation de Gilbert.

En face, la mère échange des paroles avec sa fille aînée. Elle doit lui reprocher de trop s'intéresser à la table des garçons car la jolie blonde se tourne ostensiblement vers sa sœur, dont le visage reste parfaitement immobile. Gilbert a tout vu. Il se réjouit de l'échec du bellâtre. Il le hait, le méprise. Il lui arracherait sa cigarette d'un coup de poing. Indifférent, Jean-Philippe pérore, ne parle plus qu'au maître d'hôtel.

— La saison est-elle commencée à Deauville? A-t-on rouvert le Normandy?

— Je ne saurais vous dire, monsieur. Il me semble que les officiers alliés descendent plutôt au Royal.

— Naturellement, comme tous les nouveaux riches.

Gilbert se lève d'un bond. Il ne peut en entendre plus. Serge le suit. Contrarié, Jean-Philippe se résigne.

— Vous voilà tout à coup bien pressés.

Gilbert noue son foulard rouge autour de sa tête comme un fichu de paysanne.

— Nous ne voulons pas manquer les vêpres à la basilique, dit-il.

La jeune fille a daigné sourire. Il n'a pas raté sa sortie. Jean-Philippe se lève lourdement. Quand elles aperçoivent ses jambes nues, les trois femmes détournent le regard.

— Des Lyonnaises, lance Serge en regardant la plaque minéralogique de la Packard garée devant le restaurant. J'aurais dû m'en douter.

— Les bourgeoises de Lyon sont les plus hypocrites de la terre, commente Jean-Philippe, déçu.

Pas elle, songe Gilbert. Elle n'est pas des leurs.

Ils enfourchent à regret leurs bicyclettes sales. Dans la rue Herbert-Fournet, le chauffeur de ces dames les regarde partir en lançant à la cantonade des commentaires ironiques depuis la terrasse du café. Jean-Philippe, d'habitude si prompt à démarrer, a jeté sa roue dans le pare-chocs de la Packard. Serge doit redresser son garde-boue avant tout cabossé et retirer le fanion de Newport qui bat de l'aile.

— Garde-le pour ton yacht. Tu vas le perdre en route.

A Crèvecœur-en-Auge, les deux premiers arrivés attendaient Jean-Philippe. Des conduites intérieures américaines les avaient doublés tout le long de la route, des officiers qui regagnaient Deauville. Des camions bâchés les bombardaient de gravillons dans les tournants.

— Il se sera fait prendre en stop, dit Gilbert.

— Je le crois plutôt fatigué par son déjeuner. Il ne supporte pas l'alcool.

Enfin, Jean-Philippe apparaît en haut de la petite côte qui domine la ville. Il descend de vélo et lâche sa monture.

— Je ne veux plus continuer, dit-il. Prenons le train, prenons l'autocar. Arrêtons-nous à Cambremer. C'est un pays charmant.

— C'est encore loin de la mer, dit Gilbert.

— La mer, la mer, nous la verrons bien assez tôt. Rien n'est plus bête que la mer. Pourquoi me suis-je lancé dans cette sotte expédition ?

— Je me le demande, dit Gilbert.

— C'est bon, nous allons camper à Cambremer. Ce sera notre dernière étape avant notre arrivée par la voie triomphale.

Mais Jean-Philippe se renfrogne. Il garde rancune du départ précipité.

— Chacun doit faire ce qui lui plaît, dit-il. Je comprends que vous soyez impatients de voir la mer. Je la connais par cœur, elle ne m'émeut plus. Je suppose que la plage est sale et les maisons sans toit. Je n'aime pas ce désordre. Je veux voir des gens sains, dans les villages intacts. Laissez-moi me reposer à l'auberge, je vous rejoindrai plus tard.

— Il n'en est pas question, nous te suivons, dit Serge. Mais tu dormiras comme nous, sous la tente.

Qui dira les charmes de Cambremer ? On aperçoit de loin la pointe de bois du clocher noyée dans les pommiers et les peupliers. Gilbert n'avait jamais vu de maisons normandes anciennes, avec toit de chaume et faîte fleuri. Il n'en veut pas à Jean-Philippe d'avoir proposé ce détour par dépit, pour les priver de leur arrivée sublime, au crépuscule, sur la Manche. Cambremer se trouve à trente kilomètres de Cabourg à vol d'oiseau. Les mouettes sont déjà nombreuses, les pies ont disparu. Sans ce détour, ils n'auraient peut-être jamais vu un vrai village normand.

— N'allons pas plus loin, lance Serge en se retournant sur sa selle. Nous ne trouverons pas mieux.

Il désigne un champ cossu, entouré de haies touffues. Des formes blanches dans le lointain. Sans doute un troupeau de vaches, déjà couchées sous les pommiers pour la nuit.

— Devons-nous demander l'autorisation de camper ?

— Je ne crois pas, dit Serge. Les paysans en ont vu d'autres, avec la guerre. Quand ils se lèveront demain, nous serons déjà repartis.

— Je n'ai pas l'intention de me lever avant l'aube, dit Jean-Philippe qui traîne son vélo par le guidon.

Ils s'avancent en file indienne sur le sentier qui longe le champ. A peine distinguent-ils les lointains, car le soir tombe. Il n'y a pas âme qui vive. Un petit pré s'emboîte derrière le champ aux bœufs.

— Nous serons plus tranquilles ici, dit Serge. Pas de troupeau pour nous réveiller.

La tente est montée rapidement, dûment entourée de rigoles. Personne n'a le courage d'allumer un feu. Les garçons se couchent tout habillés, allongés les uns contre les autres sur le tapis de sol, emmitouflés dans leurs duvets.

Il pleut toute la nuit. Le vent souffle dans la toile. Pas assez pour réveiller Jean-Philippe, exténué. Serge sort pour vérifier les rigoles et les piquets. Tout se passe bien, l'équipage est hors d'eau.

— Tu devrais dormir, dit-il à Gilbert, l'étape de demain sera dure.

Gilbert s'éveille le premier, dans le froid vif du petit matin. Il sort à quatre pattes hors de son duvet, pour ne pas réveiller ses voisins, fait sauter un à un les boutons de l'ouverture, écarte la toile et recule précipitamment.

Il a devant lui la tête d'un bélier. L'animal s'avance vers le piquet en grattant le sol de ses pattes.

S'il pousse son cri de guerre, se dit Gilbert, qui se souvient d'avoir vu la charge des bisons au cinéma de Guéret, tout le troupeau va suivre, nous serons piétinés.

Le bélier s'avance encore, renifle l'intérieur de la tente et s'éloigne dignement. Serge n'a pas eu le temps de se frotter les yeux qu'il a déjà disparu.

— Le bélier ! crie Gilbert. Il va chercher le troupeau !

— Un bélier ? Tu rêves, dit Serge en se rendormant.

Le bélier n'est pas à la tête de mille bêtes, comme chez les transhumants de la basse Durance. Quelques brebis l'entourent, un harem de pauvre. Gilbert sort, rassuré. Dans le champ voisin, se dresse un superbe campement, entouré de vaches et de bœufs. La toile est militaire, avec des ouvertures de mica. Gilbert longe la haie sans faire de bruit. Les roses pomponnettes sont en fleur et répandent leur odeur délicate, attirant les abeilles et les frelons qui vrombissent aux oreilles du Parisien. Il part en courant. Il craint encore plus les frelons que les béliers. S'il va dans l'autre champ, quel nouveau péril devra-t-il affronter ?

Il pense à Serge. Il a peur, c'est sûr, mais il garde son sang-froid. Il n'en laisse rien paraître. Gilbert songe que les soldats, avec leurs bottes de cuir et leurs casques, harnachés de bandoulières, de cartouchières, bardés de sacs de fourrure, le visage caché par des visières, des mentonnières, des jugulaires, n'ont pas grand-chose à craindre, eux. N'empêche, se dit-il, il suffit de quatre frelons qui se glissent sous le casque d'un chevalier pour provoquer sa mort. Peut-être les Anglais avaient-ils lâché des frelons, à la bataille d'Azincourt !

Il se sent nu, dans le champ, avec son short et sa chemise à manches courtes. On ne peut être brave tout nu. Les herbes hautes trempent ses espadrilles en quelques minutes. Il a froid aux pieds. Les chardons lui grattent les jambes. Au moment de regagner sa base pour se changer, il heurte, caché dans l'herbe, un objet de métal froid et saute aussitôt. Ce n'est pas une mine, mais un étui de savon à barbe. Il regarde l'inscription : « London, Savile Row ». Des Anglais ont campé ici, se dit-il en bombant le torse.

Ses craintes se dissipent peu à peu. Le soleil sèche la rosée. Gilbert reprend sa marche le long de la haie, pour observer, par les trous du feuillage, le campement voisin. Ils n'avaient pas peur des frelons, mais des tireurs d'élite allemands, se dit-il en songeant au soldat de Savile Row. Ils affrontaient la mort rasés de frais. Qui sait, peut-être ne laçaient-ils pas leurs chaussures avant d'avoir pris le thé ? La guerre est un métier, avec des rites, des pauses, des veilles organisées, des brigades qui se remplacent toutes les quatre heures, comme à l'usine. Ou toutes les huit heures, peut-être ?

Les voisins, en arrivant à l'étape, ont fait la lessive. Gilbert compte quatre chemises, et autant de foulards rouges. Il songe aussitôt aux Faucons rencontrés sur la route. Quel hasard ce serait, de les retrouver là ! Un garçon trapu sort de la tente kaki, torse nu. Gilbert le reconnaît aussitôt : c'est Georges, le jeune homme au foulard de pirate.

L'autre s'approche, il a repéré la tente blanche dans le champ voisin. Il aperçoit Gilbert dans l'herbe humide, et lui lance un appel joyeux :

— Viens te réchauffer au feu. Tu es des nôtres, ajoute-t-il en désignant le foulard rouge que Gilbert porte toujours à son cou.

— Sympathisant seulement.

« Sympathisant ». C'est le mot magique, qui donne la clé de la tribu. Les communistes sont immédiatement conquis quand on prononce ce mot. Sûrs de leur avantage, ils ne sont pas à armes égales avec un sympathisant, il ne les combat pas, il suffit d'un rien de séduction pour le rallier, lui faire prendre conscience des obstacles qu'il accumule à plaisir pour ne pas entrer dans la voie royale et chanter ensemble *La Jeune Garde*. Un communiste ne voit pas que le sympathisant reste toujours asymptotique à la courbe des adhésions, qu'il ne prend jamais sa carte, de peur d'avoir à la déchirer. Se dire sympathisant, c'est s'attirer à peu de frais les bonnes grâces des communistes. Un peu comme, avec les filles des Écoles chrétiennes, il est bon de passer pour une victime des pièges de la foi, des tentations mal surmontées, des reniements qui se transforment en remords. On entre dans le crépuscule de la belle âme, où se complaisent ces créatures exquises de bonne éducation qui aiment découvrir une terre de mission où se précipiter, bannière déployée, pour sauver la parcelle de foi qu'elles ont cru reconnaître dans votre regard. Gilbert raffole des jeunes filles des Écoles chrétiennes.

Pour les communistes, c'est plus difficile. Georges, malgré son air cordial, est méfiant. Il fait griller des tranches de pain rassis sur le feu et le parfum réveille ses camarades. Ils considèrent l'intrus avec surprise. Georges reconnaît subitement Gilbert. C'est bien lui. Il était présent avec ses camarades au moment de l'incident avec les Américains. Il s'était bien gardé malgré son foulard rouge d'entrer dans la bagarre. Il est vrai qu'il ne pèse pas lourd.

L'un des Jeunes Gardes sort de la tente un pot à lait en aluminium dont il verse le contenu dans une casserole noire de suie qu'il place sur un trépied au-dessus de l'âtre. Le lait est épais, crémeux. Les papilles de Gilbert s'en émeuvent. Il se souvient de sa grand-mère, qui laissait le lait bouilli à la cave, sur les marches de l'escalier. La cave était inondée en permanence et le lait restait frais. Il le buvait à longues rasades, au retour de ses courses dans la campagne. Quand la vieille femme voulait le soir faire cuire sa mitonnée, elle n'avait plus de lait pour baigner ses croûtons de pain. Elle grimaçait un sourire : Gilbert avait tout bu. Elle aimait qu'il bût le lait. C'était la seule gâterie qu'elle pût lui offrir dans ces années de guerre. Georges tombait bien. Il ne pouvait offrir une tentation plus forte.

— Viens boire le lait de l'amitié, lui dit-il.

L'avaient-ils trait en cachette, la nuit, au pis des vaches ? Impossible. Gilbert savait que les vaches, animaux paisibles mais sensibles, se dérobaient si elles ne reconnaissaient pas la main de la maîtresse. A peine consentaient-elles, pendant la déroute de 40, à se laisser traire par des étrangers, parce que leurs pis regorgeaient de lait jusqu'à les rendre malades. Elles vagissaient, elles imploraient qu'on les traie. C'était le monde à l'envers.

Ceux-là avaient dû acheter du lait à la ferme. Peut-être à des fermiers communistes. Il fallait bien que les vingt-sept pour cent d'électeurs du Parti fussent aussi des paysans. Gilbert buvait son lait chaud avec délices, sans songer à appeler Jean-Philippe et Serge. Ils n'auraient aucune envie de faire amitié avec des Gardes rouges.

— Tu étais chez les Vaillants ?

— Oui, répond Gilbert, qui ne veut pas contrarier Georges.

Avec sa chemise de laine épaisse, à carreaux rouges et verts, celui-ci l'impressionne. Il touche son foulard de ses mains larges et calleuses, comme s'il voulait en reconnaître le grain. Gilbert rougit. Il n'était pas chez les Jeunes communistes. Pas plus qu'aux Jeunes Gardes. Il avait tout simplement acheté son foulard au marché. On en vendait alors par douzaines.

— Tes copains dorment encore ?

— Je ne sais pas, dit Gilbert. Je crois qu'ils sont très fatigués. L'étape d'hier a été longue.

— Pourtant, dit un Jeune Garde, nous sommes arrivés ici très tôt, et nous avons pris la même route. Vous vous serez arrêtés.

Gilbert restait sans voix. Pouvait-il avouer qu'ils avaient mangé les crêpes soufflées du chef Hervé, en compagnie d'officiers américains du camp de Lisieux, et qu'il était amoureux d'une jeune fille qui roulait en Packard? Même si les Jeunes Gardes avaient envie de séduire les « sympathisants », c'était leur offrir une pente trop longue à remonter. Gilbert en était conscient. Aussi préféra-t-il tremper son pain rassis dans le lait chaud, sans autre commentaire.

— Tu préfères le lait au cidre? Tu es des nôtres, dit Georges avec un bon sourire.

— Les nôtres préfèrent le vin rouge, dit un des amis de Georges, le corps nu recouvert d'une parka blanche, de celles que portaient les Éclaireurs allemands sur le front russe.

— Je n'aime pas le vin rouge, dit Gilbert.

— Qu'importe, sourit Georges, tu es un camarade. Je suis à la chaudronnerie, chez Renault et je bois du lait. Chacun boit à son goût.

— Et baise à sa guise, ajoute le géant en parka.

Gilbert se sent traité en suspect. Peuvent-ils deviner à ce point ses plus chers désirs? Connaissent-ils sa préférence pour les bourgeoises parfumées? Non, décidément, il n'est pas un « camarade ». Peut-être le prennent-ils pour un homosexuel. Les communistes paraissent indulgents sur ce chapitre et citent les textes du Parti où sont affirmés les principes de la liberté sexuelle. Il sait qu'en fait il n'en est rien. La cellule du lycée avait honte d'un de ses adhérents, un bon ami de Gilbert. Le jeune homme, pourtant d'un milieu simple et venu de province, affichait ses tendances homosexuelles, en débattait à l'occasion, comme s'il vivait déjà avec un garçon, ce qui n'était nullement le cas. Estimant son discours provocateur et de nature à nuire au Parti, on l'avait invité un jeudi à une promenade en voiture. Un étudiant disposait d'une vieille Trèfle Citroën des années vingt, restaurée, avait-on dit, par un camarade garagiste. Quel plaisir que de faire pétarader le moteur rafistolé dans la forêt de Saint-Germain ! Le soir, on s'était attardé. En pleine nuit le lycéen avait été « oublié » dans les fourrés par ses pairs. Pour le guérir de son homosexualité, on voulait lui faire comprendre que, sans les camarades, il n'était rien. Il avait erré dans les bois, fou d'angoisse, jusqu'au matin.

Cette brutalité terroriste avait choqué Gilbert. Pourtant, après avoir été dégradé par les scouts, il avait suivi un ami du lycée qui militait au Parti, en grande banlieue, à Athis-Mons. Gilbert, à la recherche d'une nouvelle troupe, n'avait pas trouvé de Jeunes Gardes dans le 6ᵉ arrondissement. Dans le train qui longeait la Seine, on reconnaissait les noms des capitales du Parti : Vitry, Choisy, Ivry, la ville de Maurice Thorez. Enfin Athis-Mons, dominée par Lucien Midol, un des hommes de Résistance-Fer. La mairie, la Maison des jeunes, la Maison des syndicats et même la pyramide de dimensions modestes qui bornait l'entrée de la ville du côté de la nationale 7 étaient en permanence décorées de drapeaux rouges. Dans le wagon, l'ambiance était chaude, Gilbert se sentait conquis par l'amitié des garçons qui chantaient d'une belle voix *L'Internationale* et d'autres chants révolutionnaires, sans qu'un des passagers osât protester. Gilbert, d'enthousiasme, se mêlait au chœur. Il chantait encore sur le quai d'Athis-Mons, et les dernières paroles de *La Jeune garde* (« C'est la Révolution qui s'avance, la revanche de tous les meurt-de-faim ») avaient été happées par le souffle d'un express qui filait sur Bordeaux. Il en passait ainsi, sur les quatre voies, toutes les trois minutes à certaines heures. Lucien Midol, qui savait si bien les faire dérailler, avait décoré la gare de drapeaux rouges, associés aux tricolores. Le kiosque à journaux regorgeait de publications communistes, pour les jeunes, les femmes, les anciens combattants, pour les vieux et les enfants, pour **tout** le monde. Le vent soufflait de Juvisy à l'est, et **drainait** des nuages noirs. Bien que la matinée fût déjà fort engagée, les lumières jaunâtres des lampadaires éclairaient encore la montée abrupte vers la mairie, un ancien château au sommet du coteau qui dominait la Seine. Un autre château, à une demi-lieue, abritait Saint-Charles, une école privée qui avait survécu pendant l'Occupation. Autour de ce fief de la « réaction », s'organisait la résistance à l'invasion rouge. Les curés n'avaient pas ici de scouts, mais dans l'église maintes fois bombardée, un vieil homme se dévouait à ses paroissiens sinistrés, qui avaient perdu les leurs sous les décombres. A la mairie, les Jeunes Gardes tenaient leurs quartiers.

— Nous partons pour Paray-Vieille-Poste, dit-on à Gilbert. Une action antifasciste. Es-tu des nôtres ?

La cible était un huissier de justice qui prétendait faire évacuer un immeuble par un locataire qui n'avait pas payé son loyer depuis fort longtemps. Il était flanqué d'un commissaire de police. Gilbert, qui venait pour chanter autour d'un feu de bois, fut pris dans une bousculade où la foule hurlait des invectives, où les gardiens de la paix, débordés, sifflaient et sortaient leurs matraques. Gilbert criait comme les autres, plus fort que les autres, et se trouva engagé dans la manifestation, isolé de ses nouveaux amis qui avaient une certaine adresse dans la manœuvre. Des cars de police arrivaient en renfort. Des hommes casqués sautaient à terre, armés de lourds bâtons. Des militants musclés arrêtaient la charge, jetaient à terre les agents, dont le casque roulait sur le pavé. D'autres cars déversaient sur la place une marée de policiers. Matraqué, aveuglé par son sang, Gilbert échappa de justesse à la capture, happé sous une porte cochère par une militante d'un certain âge.

— Viens chez moi pour les soins. J'ai l'habitude.

Dans le couloir mal éclairé d'un minuscule appartement, cinq ou six militants, tous blessés au visage, attendaient. L'hôtesse — une forte femme qui se faisait appeler Wanda mais était, en fait, originaire de Saint-Brieuc — avait gardé les pratiques de la Résistance.

— Ne t'inquiète pas, dit à Gilbert un moustachu caparaçonné d'une épaisse veste de cuir. Elle a son diplôme d'infirmière. Tu es de quelle cellule?

— Sympathisant, répondit sobrement Gilbert.

L'autre se tut aussitôt. Ici, dans le feu de l'action, le mot perdait sa magie. Il fallait donner un vrai mot de passe, une preuve. Sinon, on pouvait vous soupçonner d'être de l'autre camp.

Gilbert n'offrait aucune assurance. Il avait soudain envie de s'enfuir, sans voir la sortie. Il ne voyait rien. L'homme à la veste de cuir disparut par une porte basse. Un autre prit sa place. Il se tenait les côtes, douloureusement. Celui-là souffrait trop pour poser des questions.

— Passe avant moi, lui dit Gilbert en observant ses galoches couvertes de boue. Tu viens de loin?

— Brétigny, dit l'autre dans un souffle. Et toi?

— Paris, répondit candidement Gilbert.

La Bretonne le soigna sans dire un mot. Il était passé le dernier. Mais elle lui fit comprendre qu'elle n'aimait pas les indics. Même blessés par erreur.

Gilbert sortit, perplexe. Pour les militants d'Athis-Mons, comme pour le chef de troupe de Saint-Étienne-du-Mont, la guerre n'était pas finie. Elle continuait sous d'autres formes. Ceux-là tenaient pour fascistes ou assimilés tous ceux qui ne portaient pas le foulard rouge. Les autres l'avaient exclu pour ne s'être pas soumis au Dieu des croisades. Il se retrouvait seul, sur la place déserte de Paray-Vieille-Poste, avec une entaille au-dessus d'un sourcil. Comment sortir de cette solitude?

Quelle action antifasciste Georges allait-il inventer en Normandie? Gilbert se doutait qu'un Jeune Garde en vacances reste un militant, prêt à l'engagement sous toutes ses formes. Prendrait-il d'assaut la charmante mairie de Cambremer ? Ou le manoir du Bais, damé de pierre et de brique ?

Dans l'immédiat, c'est l'heure du départ. La vaste tente est déjà pliée, les bagages sont réunis. Organisés, les Jeunes Gardes : le plus fort a fixé une remorque derrière sa bicyclette, ses mollets noueux sont ceux d'un conducteur de vélo-taxi. On y charge les sacs individuels et l'équipement collectif.

— Nous l'aidons à tour de rôle, explique Georges. Nous n'avons pas trouvé de tandem, c'est dommage. L'année prochaine, peut-être.

Le nettoyage du camp est exemplaire : les déchets sont enterrés, le feu soigneusement éteint.

— Nous nous reverrons peut-être, dit poliment Georges, en tendant la main à Gilbert. A moins que tu ne souhaites repartir avec nous. Il y a une place pour toi sous la tente.

Gilbert remercie, en tournant la tête vers ses camarades qui s'ébrouent, sans chercher à faire du feu. Serge, torse nu, est parti se laver au ruisseau tout proche. Jean-Philippe grogne, tente de démêler les boucles de ses cheveux. Gilbert découvre ainsi son obsession matinale. Il voit briller dans les yeux de Georges un éclair d'ironie.

— Nous allons remercier le fermier, dit-il. Vous devriez en faire autant. C'est un bon.

Jean-Philippe n'a pas un regard pour la colonne des Jeunes Gardes qui abandonne la place.

— Bon débarras, dit-il.

Gilbert est outré. Il n'a pas envie d'être des leurs, mais il ne les hait pas. Il croyait Jean-Philippe plus tolérant.

— Je ne viens pas à Cambremer pour tomber sur un nid de communistes, explique celui-ci en vérifiant, dans un miroir à main, l'ordonnance de ses cheveux. On pouvait espérer être tranquilles.

— Ainsi parlaient les bourgeois sur les plages, au temps

du Front populaire. Tu leur en veux d'avoir de gros bras et du poil aux jambes?

— Je n'en veux à personne. Qu'on me laisse en paix. Ces types sont en vacances, tant mieux pour eux. Mais ils n'ont aucune idée de ce que pourraient être leurs vacances. Ils les mènent tambour battant, ils marchent à l'horloge, ils partent à l'heure du métro. Nous ne pourrons jamais vivre ensemble.

— Ils ne t'en demandent pas tant. Ils n'ont pas la moindre envie de vivre avec toi.

Les cris de Serge, garçon d'habitude fort calme, les empêchent de s'exprimer plus avant sur la cohabitation possible avec les Jeunes Gardes.

— Des écrevisses! lance-t-il, comme s'il avait découvert des diamants.

— Quelle horreur! dit Jean-Philippe. Ces bêtes munies de pinces qu'on ne sait comment attraper.

— Venez m'aider!

— Certainement pas. J'ai toujours refusé de manger du homard.

— Parce qu'on les grille vivants? questionne Gilbert.

— Non. Parce qu'ils sont laids. Quoi de plus drôle que l'accouplement d'une écrevisse et d'un homard! Faut-il, pour les capturer, tendre un chiffon rouge, comme pour les grenouilles?

Serge fait gicler l'eau du ruisseau, trouble le fond argileux et vaseux. Gilbert surmonte sa répugnance et entre à son tour dans l'eau. Triomphant, Serge jette sur le rivage une, puis deux écrevisses. Gilbert saisit une carapace en glapissant. La peur d'être pincé est la plus forte, il la rejette. Serge le bouscule, l'insulte. Il s'écroule dans le ruisseau pendant que la troisième écrevisse, enfin capturée, rejoint ses sœurs.

— Incertitude, ô mes délices, commente lyriquement Jean-Philippe, impressionné par l'efficacité de

Serge. Vous et moi nous nous en allons comme s'en vont les écrevisses, à reculons... à reculons...

— Va chercher le seau, dit Serge. Elles vont rejoindre la rivière.

Les écrevisses en effet avancent lentement, à reculons, groupées comme des chars à l'assaut, attirées par le ruisseau.

— Pourquoi ne pas les laisser finir leur course? dit Jean-Philippe. Je vous en prie, accordez-moi leur grâce. Monsieur le président, dit-il en se jetant aux pieds de Serge, un mouvement d'humanité! Elles en savent trop sur nous pour qu'on les torture. Elles diraient tout à l'Éternel.

Serge, que cette emphase irrite, veut récupérer ses prises. Sournoisement l'autre, lui fait un croc-en-jambe. Le géant s'écroule en pestant.

Jean-Philippe arrache le foulard rouge du cou de Gilbert et l'agite devant Serge qui serre les poings.

— Taureau!

Il éclate de rire; Jean-Philippe le désarme toujours. Mais il regrette sa fricassée d'écrevisses.

— Tu mangeras des crevettes, et des clovisses, et des bigorneaux. Je t'offrirai une pelle et un filet, pour pêcher sur la plage. La mer n'est pas loin. Les mouettes y retournent. Nous aurons le vent pour nous. Il souffle de l'est, il apporte le beau temps.

Gilbert ne se pose aucune question sur la nature des rapports entre Serge et Jean-Philippe qui affirme, dans l'affaire des écrevisses, une étrange supériorité. Retrouvant son mutisme, Serge retourne à la tente, qu'il abat d'un geste, en tirant la corde centrale. Sans demander l'aide des autres, il la roule et l'installe dans son sac. Jean-Philippe, pour la première fois, met la main à la pâte, déplante les piquets, range le tapis de sol. Son adresse est stupéfiante: il sait plier les sacs de couchage en un tournemain. Il range aussi celui de Gilbert.

Comme pour se faire pardonner, il prend, pour une fois, la tête de la colonne.

— Allons remercier le fermier, dit-il à Gilbert d'un air entendu, puisqu'il paraît que c'est l'usage.

Surpris mais résigné, Serge suit, bon dernier, avec le sac le plus lourd qu'il charge sur son porte-bagages avant, son sac individuel étant déjà arrimé à l'arrière.

C'est égal, pense Gilbert en regardant Jean-Philippe, quand il vexe les gens, il devient presque humain...

Le fermier, un Normand jovial aux joues recuites, aux cheveux clairsemés, étale sa panse sous un gilet de velours marron.

— Georges m'a parlé de vous, dit-il. Vous êtes arrivés dans la nuit ?

Il s'adresse uniquement à Gilbert, comme si les autres n'existaient pas. Jean-Philippe prend aussitôt la parole, pour s'excuser. Ils auraient, bien sûr, demandé l'autorisation de camper s'ils n'avaient craint de déranger, de nuit, des travailleurs fatigués.

Le fermier grimace un sourire et s'adresse de nouveau à Gilbert :

— Vous n'avez pas eu le temps de pêcher des écrevisses ? Elles pullulent dans le ruisseau.

Gilbert reste coi. A coup sûr le bonhomme a surpris leur manège. Sans doute les observait-il depuis le matin, sans se montrer. Un sournois. Peut-être a-t-il été témoin de la scène finale. Que cherche-t-il ? A rallumer la discorde ? Il n'aime pas les Parisiens, c'est sûr, sauf s'ils pensent comme lui. Il n'est même pas certain qu'il ait de la sympathie pour Georges et ses amis, mais il n'ose pas refuser les campeurs. Il se souvient probablement de la Libération et des maquis. A l'époque, les fermiers devaient choisir leur camp et s'y tenir. Même s'ils n'avaient aucune conviction.

— Ma mère est tuberculeuse, dit Gilbert. J'ai fait deux cents kilomètres pour lui trouver du beurre.

Jean-Philippe lève les yeux au ciel. Il trouve cette demande d'une indécence rare. Le fermier hausse les épaules :

— Du beurre ? Et pourquoi pas de la crème ? Nous n'avons rien. Le ravitaillement nous prend tout. Hier, les Allemands, aujourd'hui, les Parisiens.

Le bonhomme exagère. Il a l'air prospère. Son beurre n'est pas perdu pour tout le monde.

— Brisons là, dit Jean-Philippe. Nous ne sommes pas venus au ravitaillement.

— Je n'ai pas de beurre, dit le fermier, mais vous prendrez bien la goutte.

Il désigne les quatre tasses sur la table de bois ciré de la ferme.

— Merci, dit-il vivement, nous avons de la route à faire.

— Une goutte ne se refuse pas, dit le fermier avec autorité.

Serge, le premier, avance la main. Dans un fond de café on lui sert une pleine rasade de calvados. La fermière, une petite noiraude, remplit les tasses destinées à Jean-Philippe et à Gilbert. Serge a bu rapidement. Ils goûtent le fort breuvage. Gilbert vide à moitié sa tasse, sous l'œil amusé du bonhomme. Jean-Philippe repose la sienne presque pleine.

— Pourquoi vous êtes-vous sentis obligés de boire ? dit-il à ses camarades à la sortie du domaine. Vous n'avez pas compris qu'il se moquait de nous ?

— Il ne pourra plus nous prendre pour des mauviettes. Ici, ils donnent le calvados au biberon, répond Serge.

Ils sont excités à un point tel qu'ils marchent de front sur la route de terre qui conduit à l'église au clocher de bois.

— De l'alcool de fraude, qu'il a fait lui-même dans

l'alambic des marchands de goutte. On le donne aux grands-pères pour qu'ils passent plus vite. Ta naïveté me navre.

Gilbert, une fois de plus, trouve insupportable le discours de Jean-Philippe, qui parle comme s'il tenait ses certitudes du régisseur des domaines de son père. On ne boit pas « la béchon » des paysans. On ne goûte pas à leur tergoule. Ces gens-là n'ont pas le même estomac que nous. C'est à nous de leur offrir à boire.

— Tu parles d'or, dit-il. Mais nous étions ses invités. Nous avons dormi sur ses terres.

Il est sûr que Georges et ses camarades n'ont pas refusé le verre de l'amitié d'un paysan.

— Le calva c'est comme le bordeaux, lance-t-il d'une voix forcée, excellent pour les tubards.

Jean-Philippe ne répond pas. Il sait fort bien que le Rimifon vient de faire son entrée fracassante en pharmacie : la tuberculose n'existe plus. Cette maladie, même s'il s'en défend est une hantise pour Gilbert. Il connaît par le menu le cheminement du bacille de Koch dans les alvéoles, creusant des cavernes, poussant chaque jour un peu plus le malade vers la mort. *La Montagne magique* vient d'être traduite en français. Ils en ont quelquefois parlé mais Gilbert coupait court, émettant des sifflements étranges, affectant de perdre son souffle.

— Tu n'entends pas siffler mon pneumothorax ?

Jean-Philippe ne goûtait que très modérément cet humour germanique, d'ailleurs, il ne voulait pas entendre parler de maladies. Gilbert s'était gardé de lui avouer que son père l'avait conduit en banlieue, du côté de Sevran, dans la villa d'une sorte de gourou barbu qui officiait sur sa pelouse. Les malades faisaient la queue, une enveloppe de radios médicales à la main. Assis sur un tabouret, le vieux les questionnait brièvement et leur faisait une piqûre au bas des reins. Gilbert avait fait la queue à son tour. Il avait montré ses clichés. « Tuberculose ! » avait annoncé le vieil homme, sans autre commentaire, sans même détailler la photo des poumons.

La cicatrice de la piqûre ne s'était jamais refermée.

A Bellengreville, dans la plaine de Caen, la route est large, droite, elle perce les champs de blé. A l'entrée du village, une voiture est arrêtée devant la pompe à essence d'un garagiste Renault. C'est la Packard. Serge l'a reconnue le premier. Quand ils arrivent, forçant l'allure, à hauteur du garage, l'automobile redémarre sans bruit.

Gilbert s'arrête, demande un bidon d'essence au garagiste.

— Pour allumer les feux, dit-il à ses camarades. Y aviez-vous pensé ?

Le garagiste grogne. Il veut servir au moins deux litres. Sa pompe à bras ne peut en distribuer moins. Jean-Philippe regarde avec agacement le liquide rosé grimper dans les tubes dépolis de la pompe.

— La Packard, questionne Gilbert, elle allait sur Caen ?

— Est-ce que je sais ? grogne le garagiste. Suivez-la si vous avez de la jambe.

Serge a sorti sa carte, pour faire le point.

— Nous sommes en retard, dit-il. Nous pourrions prendre la route de Bourguébus. Cela permettrait d'éviter Caen.

Jean-Philippe hausse les épaules, sans intervenir. Il sait que le saint-cyrien veut revoir les lieux où la 7e division blindée anglaise, lancée dans l'opération Goodwood, est venue buter contre les défenses allemandes. Les Britanniques ont perdu la moitié des mille chars qu'ils avaient engagés. Du diable si les carcasses héroïques ne figurent pas encore dans le site.

Résignés, Jean-Philippe et Gilbert suivent l'itinéraire des panzers et marchent sur Bourguébus. Pas la moindre trace de chars. Il faut croire que les amateurs de ferraille les ont déjà dépecés. Ou les marchands de souvenirs.

— On les retrouvera dans les films d'Hollywood, dit Jean-Philippe. Ils seront beaucoup mieux en carton.

Serge les entraîne sur des routes de plus en plus étroites, où les roues sautent dans les nids-de-poule. Gilbert, exaspéré, est convaincu qu'ils n'arriveront pas à la mer avant la nuit.

— *Hello !* lance joyeusement un gaillard bardé d'appareils photographiques, à l'entrée de Saint-André-sur-Orne. Voulez-vous m'aider ? (Il désigne une haie épaisse qui borde la route.) Pouvez-vous prendre moi ? demande-t-il à Serge.

— Ce touriste ne manque pas d'audace, dit sentencieusement Jean-Philippe. Arrêter trois cyclistes pour le prendre en photo dans les églantiers, cela passe l'imagination.

Serge a rangé sa bicyclette le long de la haie. Il suit l'Anglais — c'est un Canadien — qui lui désigne, dans le champ derrière la haie, un monticule de ferraille mangée de ronces.

— Mon char, dit-il fièrement.

Serge s'approche, prend un piquet de clôture pour écarter les ronces et s'avance pas à pas vers la carcasse rouillée. On aperçoit encore la mitrailleuse, et le canon très long, presque enfoncé dans le sol. Le char est à demi enterré. Il suffirait de quelques labours pour le faire disparaître définitivement comme un cargo coulé en mer.

— Ce n'est pas un char britannique, dit Serge, qui remarque la croix blanc et noir de Prusse presque effacée sur les parois.

— Assurément, dit le Canadien. Vous ne pensiez pas que j'allais tirer sur un char anglais, tout de même ?

Il raconte son histoire. Il est écouté religieusement, même par Jean-Philippe, stupéfait de cette découverte. Oui, les Allemands s'étaient enterrés dans la plaine de

Caen pour résister au raid de mille cinq cents bombardiers et aux tirs des canons de marine. On ne voyait pas les Tigres et les Panthères. Ils étaient cachés sous le sol. Seuls les canons dépassaient.

— Ils nous ont fait beaucoup de mal, dit le Canadien. Mes camarades sont morts. Les Panzerfäust aussi tiraient sur nous par surprise. De simples soldats cachés dans les haies. Ils se dévoilaient au dernier moment.

— Comment l'avez-vous eu ?

— J'ai repéré le canon qui crachait le feu. Il avait détruit le char tout proche d'un ami qui est mort brûlé. J'ai riposté aussitôt, un coup, deux coups au but. Il a brûlé à son tour. Regardez les traces.

De l'autre côté de la tourelle, un trou, gros comme la tête d'un homme. Le blindage a été percé à la base. Un autre obus a fait exploser le radiateur. Le Canadien grimpe sur le char. Serge insiste pour faire une deuxième photo à ses côtés. C'est Jean-Philippe qui cadre.

— Il veut absolument se faire croire qu'il a fait cette guerre, maugrée-t-il. Quand comprendra-t-il qu'elle n'était pas pour lui ?

Après Bourguébus, on approche de Carpiquet, d'où décollent chaque jour des avions américains, sur la piste reconstituée avec des grillages métalliques serrés qui courent sur des trous d'obus hâtivement bouchés. Quelques DC 3 pointent hors des hangars. Des soldats, des aviateurs se pressent dans un *store* géant pour y faire des emplettes.

— Voilà donc nos beaux officiers de Lisieux, dit Jean-Philippe. Ils se sont fait livrer sur la base leurs frigidaires *made in USA* et font leurs provisions de Coca-Cola.

Ils se détournent de Carpiquet. Serge les guide vers Cairon-Lasson, Thaon et Basly, s'arrêtant toutes les fois qu'il distingue une carcasse de char ou des canons sans roues. Les reliefs de la bataille sont là, sur une table de repas de noces qui n'aurait pas été desservie.

A Douvres-la-Délivrance, Serge fait une concession : il accepte de prendre la route de Courseulles. Curieusement, elle grimpe au lieu de descendre. Le soleil est très bas, la nuit va tomber. Malgré leur fatigue, ils pédalent d'arrache-pied, d'un commun accord. Gilbert n'est plus le dernier. L'air marin lui donne des ailes. La départementale s'accroche au sol entre deux levées de terre cachant le paysage. On ne voit rien, on entend seulement le cri des mouettes. La dernière côte est atroce. En dépit de leur désir d'arriver vite, ils doivent ralentir, finir en danseuse sur leurs vélos lourdement chargés.

Ils sont récompensés de leur effort : pour les accueillir, la mer a sorti sa plus belle parure, la vert émeraude.

Chapitre 3

Les conquistadores
de Courseulles-sur-Mer

A MARÉE BASSE, au petit matin, la Manche a caché ses émeraudes dans son écrin. Grise, sans la moindre crête blanche. Des paquets de goémon noir sur le sable, des algues au feuillage épais, en touffes, comme le gui jeté sur les trottoirs au matin du premier de l'an. Des épaves de navires coulés à l'entrée du port, des barges de débarquement éventrées sur la grève. Pas d'asphalte au front de mer ; une route parallèle au rivage, trouée, rapetassée de ce grillage tout terrain où les avions atterrissent.

Jean-Philippe est si déçu qu'il part aussitôt à la recherche d'un bureau de tabac. Il veut fumer des cigarettes, comme de Gaulle quand il attendait ici même, sur la plage, *La Combattante*. C'est jour de marché à Courseulles. Au café, un garçon en tenue de pêcheur le sert. Jean-Philippe le dévisage sans oser le questionner au grand jour : était-il là ? Des chiens errants poussent les boîtes de conserve sur la chaussée rendue boueuse par la pluie nocturne. Des femmes voûtées, aux vêtements rapiécés achètent leur pain brié. D'autres se pressent à la criée des pêcheurs. A part les épaves, rien n'évoque le glorieux 14 juin.

Serge, également déçu mais n'en voulant rien laisser paraître, arpente la salle du café en goûtant la « tergoule ». Il regarde une carte de la région, affichée dans l'arrière-salle. Une flèche rouge, à peine lisible, désigne la plage de Courseulles, une autre, Bayeux. Est-ce une relique ? Le temps des musées n'est pas encore venu. Les objets témoins sont abandonnés. Personne ne veut parler.

— C'est toujours ainsi, dit Gilbert pour rompre le silence pesant de ses amis et tenter de les distraire. L'histoire ne laisse pas de traces. Les gens se dépêchent de l'oublier. On efface et on recommence. Les paysans de Verdun n'ont eu qu'une hâte, labourer le champ de bataille, retrouver le blé en herbe, oublier le temps où rien ne poussait plus sur la terre de la désolation. Tout se passe comme si le général de Gaulle n'avait jamais mis les pieds à Courseulles. Plus tard, beaucoup plus tard, on gravera ici une stèle. Les descendants s'y feront photographier, auprès d'un marchand de glaces ou de frites.

Gilbert se lève brusquement. Il a vu une tignasse blonde, un imperméable mastic... Il fend la foule pour l'aborder. Il reconnaît parfaitement ces yeux clairs, ces cheveux blonds. C'est l'homme qui a assisté à son accident de vélo et ne l'a pas aidé. L'individu s'éloigne à grandes enjambées en relevant son col.

— Qui est-ce ? demande Serge au serveur.

— Ne cherchez pas à le connaître. Moins on le voit, mieux on se porte.

— Où habite-t-il ?

— Si les gendarmes le savaient, il y a longtemps qu'il aurait pour adresse la Centrale. Mais il n'y a plus de gendarmes !

C'est vrai, depuis la Libération, les brigades de la « blanche » ont du mal à se reconstituer en Normandie. Les gendarmes ont disparu. Certains ont pris le maquis, ils ont suivi l'armée, se sont engagés par centaines en Indochine. Les jeunes recrues ne sont pas assez nombreuses. Personne ne veut plus être gendarme. Les vieux qui restent en place ne peuvent poursuivre les vagabonds, qui pullulent sur les côtes normandes. Le serveur ne veut pas faire de confidences à des campeurs qu'il ne connaît pas. Après tout, ce sont des sans-logis comme les autres.

— Laisse tomber, Gilbert, lance Jean-Philippe. Ce genre de gars peut être dangereux. Un passé lourd, peut-être.

— Mais il a presque notre âge.

— Quelques années de plus. Il est assez vieux pour avoir fait la guerre. Dans quel camp...?

Ils sortent du café pour marcher le long de la digue. Jean-Philippe descend sur la plage, où le soleil pâle n'attire pas les baigneurs. On aperçoit seulement des groupes de pêcheurs de coquillages. Des gens du cru, qui travaillent pour les restaurants. Jean-Philippe se frotte les mains : la mer remonte, ses rouleaux rageurs vont décaper la plage, inonder les épaves, réveiller peut-être le vent de l'Histoire. Il marche à longues enjambées en rêvant à voix haute.

— Quand il est descendu de *La Combattante*, il était attendu par Kœnig. D'Argenlieu était là, et Chévigné, et Viénot. Ils n'ont pas pu passer inaperçus.

Un pêcheur à la barbe grise relève la tête, entend Jean-Philippe marmonner et reconnaît le nom du général de Gaulle.

— J'y étais, moi, monsieur.

Enfin ! Jean-Philippe était prêt à reprendre la route de Paris. Il avait fait ce long parcours pour retrouver son héros, et rien ne lui parlait de lui...

— Ils n'ont pas débarqué ici, dans le port, mais plus loin, du côté de Graye. Le bateau avait jeté l'ancre devant Juno Beach.

Serge se rapproche. Il reconnaît le nom d'un des lieux de débarquement de l'armée britannique. Il devient très attentif au récit du vieil homme à casquette kaki.

— Ils ont quitté *La Combattante* sur un DUKW. Le

même que celui-ci qui s'est échoué sur la plage : la mer le recouvre. (Serge retire aussitôt ses chaussures pour s'approcher de l'épave, il n'a jamais vu de voiture amphibie.) Le général a eu du mal à débarquer. L'échelle télescopique n'est pas large. Le DUKW s'était avancé sur la pente, sur cent cinquante mètres. Les Canadiens d'une unité combattante se regroupaient sur la route métallique pour monter au front.

— *Ils montent en ligne,* a dit le général. *Combien reviendront ?*

Jean-Philippe, très ému, a récité cette phrase qu'il avait lue jadis dans les journaux relatant le Débarquement. Le marin s'en étonne à peine. Les nostalgiques de la Libération viennent nombreux visiter Courseulles. Il a son récit tout prêt. Il le répète à chaque fois. Une sorte de guide improvisé. Plus tard, se dit Gilbert, on lui donnera une casquette.

— Les Canadiens s'étonnaient de voir un groupe de Français, dont quelques civils, sur une plage de débarquement. Ils ne connaissaient pas la silhouette de De Gaulle. Ils ignoraient même son existence. On n'entendait pas la BBC de langue française à Vancouver ou à Ottawa. Un petit officier écossais coiffé d'un drôle de calot à ruban décoré de damiers attendait, au garde-à-vous. Il devait conduire ses hôtes chez Monty.

— Le général Montgomery n'était pas venu en personne ?

— Vous voulez rire ! Il était à son état-major, préparant l'attaque. Il n'avait pas de temps à perdre. Vous devriez aller plus loin, vers Graye. C'est là qu'ils vont tous, les anciens, pour retrouver l'ambiance du *glorious day.*

Gilbert ne s'étonne pas de l'extase fétichiste de son camarade. Pour un peu, il embrasserait le sable ! Il est le seul à croire encore aux héros.

Depuis son arrivée à Courseulles, il cherche éperdument les traces d'une Packard noire. Pour lui, la découverte de la mer va de pair avec l'amour. Il a questionné le buraliste, le garagiste et même les enfants sur la plage pour tenter de retrouver le passage des cigognes venues de Lyon. Aucun résultat. Pas le moindre indice. Gilbert, qui pense aux yeux voilés de l'inconnu, reprendrait bien sa bicyclette pour visiter toute la côte. Mais Jean-Philippe et Serge n'ont pas l'intention de quitter Courseulles. Pouvait-il se douter qu'ils venaient ici en pèlerinage ?

— Pas une once de sable propre, dit Jean-Philippe en dépliant sa serviette. Je vais me baigner.

Serge se dirige vers un blockhaus, suivi par Gilbert qui n'a aucune envie de mourir de froid sur cette plage glacée.

Les canons sont encore en place et sortent leurs gueules noires du béton. Gilbert suit la marche rapide de Serge qui veut devancer la marée pour arriver à la petite pointe de rocher surmontant le rivage. Une inscription l'arrête : « Terrain miné. Danger de mort. »

Les démineurs n'ont pas encore rendu cet espace aux bains de mer.

— Regarde, lui dit Gilbert. A droite du blockhaus.

Une silhouette se détache nettement sur la ligne d'horizon. L'homme est assis, il fume, face au large.

— Par où est-il passé ?

— Par la mer, bien sûr.

Serge se souvenait d'avoir lu que Rommel avait truffé le rivage, à marée basse, de pièges divers pour en condamner l'accès. L'inconnu était-il venu en barque ? Il en aurait le cœur net. Un pêcheur accepterait sans doute de le conduire sur les lieux.

— Les traces de pas sont fraîches, dit Gilbert.

Sur le sable, on aperçoit en effet des empreintes de bottes en direction du blockhaus. Gilbert a très envie de les suivre, sans pouvoir s'expliquer clairement ce brusque désir. Il est de nature si prudent.

— S'il est passé, dit Serge, nous passerons.

Il s'ingénie à marcher exactement dans les pas de l'inconnu, et Gilbert le suit... Ils progressent lentement, comme ils l'ont vu faire, au cinéma, aux soldats évadés traversant des champs de mines. Serge est presque courbé en deux, pour repérer les traces de plus en plus imprécises. En montant, la mer les rend floues, et bientôt les fait disparaître.

Lorsque la vague les rattrape et recouvre le sable, Serge, inconscient du danger, continue sa marche.

— Nous pourrons toujours nager, nous serons au-dessus des mines.

— Le seul obstacle, avoue Gilbert, c'est que je ne sais pas nager.

Serge a un instant de panique. Ils ne peuvent reculer, le rouleau a effacé toute trace dans la zone dangereuse. Le seul moyen est d'attendre que la mer soit plus haute, et de traîner Gilbert jusqu'au rivage. C'est l'affaire d'un quart d'heure. Une demi-heure, peut-être.

Jean-Philippe ne les quitte pas des yeux. Que font-ils, immobiles, en pleine marée montante? Il croit d'abord qu'ils ont découvert quelque trophée de guerre. Serge est en arrêt. Une fusée à parachute, sans doute.

Il s'avance vers le front de mer, découvre la pancarte interdisant le champ de mines. Là-bas, les deux garçons font des signaux des deux bras. Il se précipite pour retrouver le pêcheur. Il a disparu. Il court à toutes jambes vers l'embouchure de la rivière Seulles, qui sépare Cour-seulles du petit bourg de Graye et du hameau de la Platine. Il veut trouver une barque, ramer lui-même au besoin, les dégager par la mer. Un autre blockhaus garde l'entrée de la Seulles : entre les deux balises, un homme manœuvre sur un canot en caoutchouc équipé d'un petit moteur.

— Deux hommes en danger! crie-t-il.

Ce n'est pas un pêcheur, mais un employé des parcs à huîtres que l'on reconstitue le long de la rivière. Il s'approche et fait signe à Jean-Philippe de monter. Après une première tentative — qui lui vaut un bain forcé dans la vase —, il est hissé sur le dinghy par le vieil homme. Sans mot dire, en tirant sur sa bouffarde recourbée, il fait un demi-tour rapide et gagne le large.

Gilbert est le premier rescapé. Impossible de charger Serge. Il doit attendre. En croisant au large du blockhaus pour reprendre le cap de l'embouchure, le marin montre du doigt le canon du 47 Skoda resté en place.

— Le servant est encore là, commente le Normand, en voyant dans l'embrasure du béton une silhouette que Gilbert reconnaît à sa tignasse blonde.

— C'est lui, dit-il. L'homme aux yeux clairs. Je crois bien qu'il voulait me voler mon vélo lors de l'accident, explique-t-il à Jean-Philippe.

— Un ferrailleur? demande celui-ci.

— Les ferrailleurs ne passent pas par là. Ils ont peur des mines. Celui-là n'a peur de rien. Il revient sans doute de l'enfer.

Serge de son côté n'a pas attendu le retour du dinghy. Puisqu'il n'a plus à sauver Gilbert, il peut rejoindre le rocher à la nage. Il flotte sur l'eau, fait la planche, ses chaussures attachées à son cou. Il s'avance prudemment vers l'ouvrage bétonné; il ne veut pas repartir sans y être entré.

Il se souvient d'avoir vu dans le *Digest* la photo d'un ouvrage de ce genre. Pas très loin d'ici, à Luc-sur-Mer. Des hommes de la Force B d'un commando britannique avaient réussi à débarquer. Ils se croyaient à Courseulles, ils étaient devant l'hôtel Beau-Rivage de Luc, où logeait l'état-major allemand du secteur.

C'était le 28 septembre 1941. Les Alliés voulaient éprouver les défenses de la côte normande et ramener, si possible, un prisonnier. L'alerte avait été donnée. La mitrailleuse du blockhaus avait pris tout le front de mer en enfilade. Deux Gallois avaient été tués.

Impossible d'approcher de l'ouvrage. Des chevaux de frise, des barbelés et des ronces géantes condamnent l'accès principal. Serge se rappelle avoir vu sur les photos de bunkers des sorties latérales, et même des marches en acier plantées dans le béton pour permettre aux guetteurs de grimper au sommet. L'entrée existe : une porte blindée. Dans le sable, des traces de pas. Serge tente de forcer la porte. En vain. Il doit renoncer. Au pied des rochers, le dinghy est de retour.

— N'insiste pas, lui dit le marin, il te balancerait des grenades.

— A quoi jouez-vous ? s'exaspère Jean-Philippe. A vous deux, vous pourriez recommencer le Débarquement. Prends le dinghy, vole un DUKW. J'en vois un sur la rive.

— C'est une Ford GPA, rectifie le marin. Les Américains nous l'ont laissée en héritage. Pas perdue pour tout le monde, on s'en sert pour les huîtres.

— Prends la Ford, il te la prête. Veux-tu en prime un sous-marin de poche ? Ils doivent bien en avoir en stock, au marché aux poissons. Tu pourras recommencer l'opération Juno. Je te conseille de trouver un casque. Le fou du blockhaus va tirer.

— Pas besoin, dit le pêcheur. Il passe d'un blockhaus à l'autre. Quand il est serré de trop près ici, il remonte jusqu'à Saint-Aubin. On l'a même vu plus loin, à Langrune, à Luc, et jusqu'à Colleville. Les palaces en béton armé ne manquent pas. Allez lui mettre la main dessus, les gendarmes y ont renoncé ! Ils attendent de l'avoir par surprise, quand il vient au ravitaillement.

— Parle-t-il français ?

— Comme vous et moi, mais avec un drôle d'accent. Il n'est pas là tout le temps. Pendant des mois, il disparaît.

— Je l'ai vu sur la route, dit Gilbert. C'était bien lui.

— Vous m'étonnez. Ce gaillard-là ne roule pas sur les routes. Il ne veut être pris par personne. Il va à pied, il aime ses bunkers. Celui-ci tout particulièrement, parce qu'il est inaccessible. C'est sa base favorite. N'allez pas le chatouiller, il est capable de mordre.

Serge observe avec gourmandise le second bunker, celui qui commande l'embouchure de la Seulles. Il pourra le visiter sans avoir à l'assiéger. Il est vrai qu'il n'a plus de canon et que les ferrailleurs ont dégagé sur la façade une large embrasure.

— On peut y coucher, explique le marin. Mais je vous conseille la plage. Les tentes y sont nombreuses. Vous y êtes installés, peut-être ?

— Il n'en est pas question, s'indigne Jean-Philippe. Je ne veux pas dormir dans la promiscuité d'une plage. L'intérêt du camping, c'est de choisir des endroits isolés.

Ils regagnent à pied leur cantonnement. Ils avaient longuement hésité entre les deux rives de la Seulles. Gilbert proposait la grange Guesnon, sur la rive gauche, ou le Perret, au pied du bourg de Banville. Le terrain était trop humide, presque marécageux. La Seulles, en remontant vers Amblie, décrit des méandres, avec des fonds vaseux recouverts de roseaux.

— L'autre rive est plus saine, affirmait Serge qui voulait planter ses piquets à la Hache, un vieux site normand proche du cimetière canadien.

— Point de cimetière, ni de calvaire, ni de monument aux morts, avait tranché Jean-Philippe. Les Corfolands me semblent très bien.

Manifestement, il préférait s'installer un peu à l'écart, pour éviter de retrouver les foulards rouges des Jeunesses communistes, ou d'autres amateurs de congés payés. On accédait au champ par un sentier qui longeait un mur de pierre. Le fermier avait volontiers donné l'autorisation. Il trouvait étrange que des Parisiens veuillent s'isoler dans un pré d'embouche au lieu de dormir dans les dunes, mais il s'en réjouissait. Il pourrait leur vendre l'herbe, l'eau, le vent, et peut-être du lait et du calva. Pour le reste, il n'en était pas question. Qu'ils aillent au bourg s'ils avaient des tickets.

— La Seulles est propre, dit Serge. Nous pourrons nous y laver. Et même y puiser l'eau de la soupe. Une fois bouillie, elle est consommable.

— Que veux-tu faire cuire? demanda Jean-Philippe. Du potage paysan, avec des choux et des poireaux? Je regrette, mes chers amis, je ne suis pas popote. Le pain au saucisson me suffit. Ne comptez pas sur moi pour les vaisselles.

— Je vois, bougonne Serge, sortant de son sac un chou vert acheté au marché et un morceau de lard. Je mangerai donc seul.

Dans le petit bois proche de la Seulles, il fagote avec Gilbert, qui aime allumer du feu. Ils rapportent des brassées de branches mortes. En versant de l'essence sur le bois humide, Gilbert ne cesse de penser aux dames de la Packard. Sans doute ont-elles remonté la côte vers des endroits plus civilisés, comme Ouistreham ou Rivabella. Dans le guide, on indique des casinos, des plages organisées, avec des parasols et des matelas aux tissus fleuris.

— Demain, dit-il, je vais à Ouistreham. C'est la station chic. Tu m'accompagnes?

— Tu rêves, répond Serge qui comprend à demi-mot. Le casino de la ville est détruit. Le commando Kieffer a fait sauter le bâtiment. Rivabella peut-être... Mais c'est loin.

— Qu'importe! Je veux voir toutes les plages.

Serge ne répond pas. Il médite une expédition vers l'ouest, en direction d'Arromanches. Les parasols ne l'intéressent pas.

L'eau bout, dans la marmite fixée à un trépied. La bonne odeur du chou au lard se répand jusque sous la tente, où Jean-Philippe mange, rageur, son pain rassis.

Serge a fabriqué des sièges avec des bûches. Il a découvert dans le bois des Corfolands une caisse de munitions en métal, marquée d'une tête de mort. Elle était vide. Une aubaine. On peut y mettre le couvert. Pas besoin de lumière : le feu crépite, éclaire le campement. Sous la tente, Jean-Philippe a allumé, pour lire, une lampe-tempête.

Le froid le fait sortir de son gîte, il s'approche, les bras chargés de couvertures. Ils lui font place. Emmitouflés comme des Indiens, ils entendent chanter l'eau de la marmite.

— C'est cuit ? dit Jean-Philippe.

— Le chou demande des égards, et de la patience, répond Serge. Le chou au lard, c'est un plat de roi. Que peux-tu faire de mieux que d'attendre ?

— Demain, j'achèterai des pommes de terre.

— Introuvables. Elles valent de l'or.

— En voici, dit une ombre qui s'approche du campement. (Gilbert attrape le sac au vol.) Puis-je m'inviter parmi vous ?

— La faim fait sortir le loup du bois, dit Serge qui a reconnu l'assiégé du blockhaus.

Il a osé ! Gilbert n'est pas remis de sa surprise. Il observe le blond qui engouffre le chou au lard. Ses patates cuisent dans la cendre. Jean-Philippe, intrigué, constate qu'il porte des bottines de parachutiste. Sous son imperméable, une peau de mouton. Serge lui tend sa gourde.

L'autre refuse. Il propose à la cantonade des bouteilles de bière yankee qu'il sort de ses poches.

— Pas de problème pour les patates, dit-il en débusquant, de sa botte, celles qui cuisent dans la cendre. Il suffit de se servir dans le grand champ près de la route. La nuit, naturellement.

Serge est embarrassé par cette confidence. C'est presque une offre d'association. Avec son Opinel, l'étranger ouvre les patates qu'il tire de la cendre et les écrase pour en faire des galettes. La chair blonde fume sous la peau calcinée.

— Pas de beurre ? Dommage.

Il sort de son imper des pommes, qui vont rouler jusqu'au foyer. Des vraies pommes à cidre rouges et ratatinées depuis la cueillette. Une grenade quadrillée tombe de sa poche en même temps. Il se précipite pour la pousser d'un coup de pied loin du feu. Jean-Philippe et Gilbert, terrorisés, se sont jetés à plat ventre, imitant Serge qui le premier se relève.

— Vous jouez souvent avec la mort ?

— Chaque fois que je veux éprouver le courage de mes partenaires. Je vous ai vus à l'œuvre, dans le champ de mines. Tu es le seul qui accepte le risque. Les autres ne sont pas dans le coup.

— Dans quel coup ? demande, furieux, Jean-Philippe. Qui vous a invité à notre foyer ? Je veux bien rencontrer en route des gens peu recommandables, des voleurs de pommes ou de noix. Pour les assassins, nous ne sommes pas du voyage, Serge pas plus que nous autres. Même s'il ne craint pas les grenades. Surtout si elles n'ont plus de détonateur. Nous prenez-vous pour des imbéciles ?

— Tu veux essayer ? Regarde ta tente.

Il sort de nouveau une grenade, une vraie, à cuiller. Il dégoupille. Le vacarme est assourdissant. Il l'a jetée dans les eaux basses de la Seulles. Sur l'autre rive, des lumières s'approchent. Des campeurs, avec des Wonder. Serge se porte au-devant d'eux.

Georges et les Jeunes Gardes sont là. Ils fouillent les berges, battent les buissons.

— Regardez les poissons !

Par centaines, les ablettes, les goujons arrivent en surface, le ventre tourné vers les étoiles.

— Un salaud de braconnier, dit Georges.

— Il profite de l'absence des gendarmes. Nous allons lui faire la peau.

— Vous ne ferez rien du tout, dit Serge avec fermeté. Nous l'avons vu s'enfuir. Il est déjà loin.

Les « foulards rouges » s'interrogent. Jean-Philippe et Gilbert sont tranquilles, assis sur des bûches, au coin du feu. Comme si rien ne s'était passé. Serge est le seul à faire semblant de chercher.

Georges, sans vergogne, s'approche, ouvre la tente, comme si le fugitif s'y était caché.

— Vous avez tort de le couvrir. Nous l'avons repéré. C'est un vrai salaud. Ceux du port le connaissent. Si vous entrez dans ses combines, vous vous retrouverez en tôle. Je vous aurai prévenus.

— Merci de votre concours, dit Jean-Philippe, glacial. Nous n'avons pas besoin de vous pour rendre la justice et nous sommes assez grands pour nous charger de notre sécurité.

Les garçons continuent à battre les alentours du bois avec des bâtons, guidés par la lumière trop discrète de leurs lampes. Ils vocifèrent, lancent des injures, somment l'étranger de se découvrir.

— Nous savons que c'est toi. Nous savons où te trouver, lance Georges en guise d'adieu.

Il ajoute, à l'intention de Gilbert, décomposé :

— Cacher un ancien de la Charlemagne est un délit. Nous te mettons en garde.

Gilbert est perplexe. Il ne voit pas en quoi le lycée Charlemagne peut entraîner la condamnation du Parti. Une amicale d'anciens élèves d'extrême droite, peut-être ? Il n'a jamais entendu parler d'un groupe fasciste de Charlemagne. Il se souvient d'y avoir passé l'écrit de son baccalauréat. Un lieu bien tranquille.

— La division Charlemagne, dit Jean-Philippe, qui perçoit l'ignorance de son camarade. Celle qui a combattu dans les ruines de Berlin. Elle était composée de SS recrutés en Belgique et en France.

Serge sort avec un seau.

— Je vais récupérer la friture, dit-il.

Les Jeunes Gardes ont disparu dans la nuit. Sans doute campent-ils dans les champs du Perret. Serge, prudent, ausculte les touffes de joncs et de roseaux. Pas un bruit. Ils n'ont pas eu la même idée que lui. Il tend un filet à cent mètres en aval, pour que les poissons s'y agglutinent. Il fume une cigarette, attentif aux bruits de la nuit. Là-bas, à deux cents mètres, les communistes chantent. Le grand blond s'est évanoui dans la nature. Sans doute a-t-il voulu mettre le trio à l'épreuve. Qu'ils affirment clairement, par leur attitude, s'ils sont ou non de son côté. Mais pourquoi eux? A cause de leur expédition dans le bunker?

Il a réussi, se dit Serge. Même Jean-Philippe, qui le déteste, ne l'a pas donné. Pas davantage Gilbert, malgré son foulard rouge. Il nous a mouillés, dans sa folie. C'est bien le moins que je récupère la poiscaille.

Quand il se penche pour cueillir la récolte dans son seau de toile, il est bousculé, jeté à terre, des mains serrent son cou; sous le maxillaire, il sent la pointe d'un poignard.

— Mon nom est Richard, lui dit l'étranger dans un souffle. Je te conseille de te taire.

Il relâche peu à peu son étreinte.

Serge lui désigne le seau de poissons.

— Je ne viens pas chercher ma part, dit l'autre. J'ai horreur du poisson d'eau douce. Tu n'es pas comme les autres, tu n'as pas peur de la mort.

Serge se masse le cou, allume sa Wonder, examine les traits de l'étranger. Les joues sont lisses, presque imberbes. Il n'a guère plus de vingt ans. Les cheveux blonds mangent le front, recouvrent les larges oreilles. La mâchoire est énergique, le regard fiévreux.

— Pour le canon, il faut être au moins deux. J'ai un acheteur, je compte sur toi.

Au campement, Serge reste silencieux. Il fait frire les poissons sur les cendres et les pique avec la pointe de son couteau. Ni Jean-Philippe ni Gilbert n'y touchent. Il leur semble immoral de profiter de cette pêche miraculeuse. Les grenadeurs de rivière indignent le premier et terrorisent le second. Des gens de sac et de corde. Ni délateurs ni complices : ainsi pense Jean-Philippe.

Chacun reste silencieux, comme s'il craignait les réactions des autres. Serge est le plus fermé. Il se promet d'enquêter dès le lendemain à l'aube. Il ira sur la jetée retrouver le marin. Il doit en savoir long sur les réseaux de la Charlemagne. Celui-là n'est sans doute pas un isolé. Pourquoi n'en parle-t-il pas avec Jean-Philippe, son ami de toujours ? Il se sent brusquement coupable. Sa passion de la guerre lui a inspiré sa conduite : ne pas trahir un combattant en cavale, quel que soit son camp, ne pas dénoncer un prisonnier en fuite. Serge a sa morale, qui n'est pas celle des autres.

— C'était une grenade anglaise, laisse tomber Jean-Philippe. Les allemandes sont à manche.

La remarque perturbe Serge. Il sait qu'après les combats, des armes de toutes sortes ont été volées et revendues, prises sur les cadavres des deux camps. Mais l'inconnu s'appelle Richard. Et si c'était un déserteur canadien... Beaucoup de soldats devenus fous au combat ont changé de vie, cherchant à fuir par tous les moyens. Certains ne se rappellent même plus leur passé. Pourtant, Richard semble trop jeune, il n'a pu être recruté, entraîné, convoyé en France pour juin 1944. Il garde encore ses réflexions pour lui, pour ne pas inquiéter son camarade. Il comprend que Jean-Philippe lui propose une porte de sortie. Si des Canadiens ont pu manquer au devoir, inutile de chercher à les sauver à tout prix. Celui-là est en cavale, qu'il le reste.

L'incident est très troublant pour Gilbert. Il avait fui les manifestations de Paray-Vieille-Poste, abandonné les militants dans leur guérilla antipolicière. Il n'a pas davantage envie de suivre Georges dans sa chasse nocturne à l'éventuel nazi. Il n'est pas un justicier. Georges poursuit une ombre. D'où tient-ils ses soupçons ? Il affirme sans savoir, juge, tranche, condamne, il veut tuer lui-même, de ses mains, comme jadis les partisans soviétiques. Tuer sans ordre, par conviction. L'engagement peut-il aller jusque-là ? Faut-il qu'un voleur de grands chemins soit assimilé à un SS, sans l'ombre d'une preuve ? Qu'importent les preuves, dirait Georges. Le fugitif peut être un anar ou un nazi, c'est du pareil au même : il est un ennemi du peuple. Un type qui se cache le jour et sort la nuit avec des grenades n'est pas clair. On a arrêté sur cette côte des anciens de la Charlemagne. Georges l'a lu dans *La Marseillaise*. Cela lui suffit pour condamner. Le moindre délit est le fait d'un criminel, puisqu'il s'est mis lui-même hors la loi.

— Voilà bien les communistes, commente encore Jean-Philippe. Ils traiteront bientôt de Gaulle de fasciste. Ils l'ont obligé à partir. Ils agitent les syndicats, contraignent les socialistes à entrer dans leur sophistique. Qui n'est pas avec eux est fasciste. Les moyens de condamner importent peu. Les plus grossiers sont les plus efficaces. La Charlemagne ! Quel beau titre pour le canard communiste du coin : « De jeunes démocrates ont arrêté cette nuit un criminel de la Charlemagne. Il pêchait à la grenade dans la Seulles. » Quel thème pour mobiliser les « masses » de Courseulles-sur-Mer !

Serge est surpris. Par anticommunisme, son ami protège lui aussi le fugitif. Il lui attribue sans preuve une identité canadienne, il sort de son indifférence pour entrer dans la bataille idéologique. C'est la faute de Georges si de Gaulle est à Colombey. Le soi-disant Richard — car rien ne prouve que ce soit son nom — pourrait être un garde du corps de Himmler, que Jean-Philippe se risquerait à le protéger, du seul fait qu'il est poursuivi par des communistes.

— Lors des purges de Moscou, dit doctement celui-ci, les staliniens ont accusé le seul général qui connaissait l'emploi des chars, Toukhatchevski, d'être un agent allemand. Il avait seulement le tort d'exiger que l'Armée rouge fût dirigée par de vrais militaires. Les communistes ont l'habitude d'accuser sans preuves.

— Comme les nazis, ajoute Gilbert.

Il sent bien que Georges peut avoir raison. Le fugitif est un provocateur, il vient de le prouver. Un anarchiste, un volontaire du camp du désordre. Il ne peut y avoir de paix avec ces gens-là. Ils doivent être éliminés. La société s'en chargera, un jour ou l'autre, ce n'est pas son affaire. Mais la guerre sera-t-elle jamais finie? Y aura-t-il un jour de vraies vacances, sans angoisse, sans remords? Ils sont à peine arrivés, et les voilà au bord de la dispute, parce qu'ils sont confrontés aux séquelles du drame. Pour la première fois, Gilbert voit en face de lui un marginal. Le pseudo-Richard a choisi le mauvais camp, il court la grève, halluciné, sans trouver jamais le repos. Gilbert ressent-il pour lui de l'indulgence? Pas la moindre. Comment s'engager, en 1944, dans le camp nazi? Qu'il aille se faire pendre! Mais qu'on ne compte pas sur lui pour le lynchage.

La traque méditée par Gilbert n'est pas celle des nazis ou des déserteurs. Il vient brusquement de décider de partir, seul s'il le faut, à la poursuite de son rêve. Avec obstination, il pointe sur la carte les noms des stations balnéaires de la rade de Caen. Serge l'observe sans mot dire. Son parti est pris. S'il monte à bicyclette demain, il partira vers l'ouest, qu'on le suive ou non. Quant à Jean-Philippe, il ne fait pas mystère de son désir de fainéanter sur la plage. Rien ne le fera fléchir, qu'on se le dise!

Serge a déjà disparu quand le soleil se lève, perçant un rideau de nuages. Jean-Philippe s'inquiète en voyant Gilbert ranimer les cendres, pour faire bouillir l'eau du café. Serge a été plus impressionné qu'il ne le pensait par la visite du pseudo-Richard. S'il est parti seul, c'est pour ne pas les compromettre. Il ne se fait pas la moindre illusion. Le lanceur de grenades fascine plus son camarade que les cimetières de bateaux d'Arromanches. Il est parti en chasse, pour en avoir le cœur net. Reviendra-t-il intact ?

Gilbert, d'habitude si loquace, ne souffle mot, agit en somnambule, laisse brûler le pain sur le gril et renverse dans l'herbe son pot de miel liquide.

— Tu veux revoir la fille ? dit Jean-Philippe. Je te comprends. Elle est très belle.

Gilbert ne sort pas de sa torpeur. Que Jean-Philippe, ce suborneur en puissance, ose lever les yeux sur son idole l'indispose. Il veut être le seul à penser à elle. Il lui semble que toute confidence enlèvera de l'intensité à ses sentiments. Il refuse de partager son rêve.

— Partons pour la plage, dit-il. Nous y ferons peut-être d'heureuses rencontres.

— C'est à souhaiter, dit Jean-Philippe. Je sens que je vais devenir fou entre vous deux. Tu ne penses qu'à la madone de Lisieux et Serge est à la poursuite de son lanceur de grenades.

Ils se renseignent au café, où ils prennent des croissants chauds. Un luxe inconnu depuis longtemps à Paris. Oui, le serveur a vu Serge. Il a laissé sa bicyclette sous l'appentis. Il est parti avec un marin dans la direction des rochers du Pasty-Ver. Tous les matins, le marin devient pêcheur, pour rapporter au restaurant des poissons de roche. Serge aura offert de l'aider.

Jean-Philippe en doute. Son ami n'avait pas l'intention de faire une partie de pêche. Il se sera fait débarquer sur un point de la côte.

— Il aura voulu voir Gold Beach et les pontons de Port-Winston, dit le serveur. Ils regorgent de crustacés.

Non, il n'a pas vu passer de Packard noire. Il l'aurait remarquée. Les voitures sont rares, encore plus les américaines immatriculées en France. A Lyon, dites-vous ? Il n'a jamais vu un Lyonnais sur la côte. Non, les rares villas sont louées à des Parisiens. Ils ne sont du reste pas revenus depuis la guerre. Regardez la plage : des campeurs ! Pas un client sérieux. Tous des fauchés.

Jean-Philippe se plonge dans la lecture du journal local. Pourquoi frissonner sur la plage déserte ? L'incident de la nuit est signalé. La mairie rappelle que la pêche à la grenade est un délit qui entraîne une peine d'emprisonnement. Dans la rubrique locale, on évoque le passage de Michel Emer au casino de Rivabella.

— Le casino est rouvert, dit-il, c'est là qu'il faut aller. Partons en repérage. Nous pourrons nous y installer plus tard. Pourquoi rester à Courseulles ?

Gilbert lui tresserait des couronnes de fleurs. Partir seul, à l'aveuglette, lui semblait un pari ridicule. Il risquait de revenir bredouille avec cinquante kilomètres dans les jambes. A deux, la route est moins longue. Pour la première fois ce matin il sourit à Jean-Philippe. Il aime comme lui l'amour et la paix. Il a d'autres désirs que celui de visiter des casemates. Quel soulagement ! Le visage de Clélia lui revient en mémoire. Est-elle bien la jeune fille de la Chartreuse ? que lui importe. Il cherchait pour elle un prénom littéraire, comme si cette aventure ne devait être vécue que par référence. Qu'importe ! Jean-Philippe, joyeux, saute en selle. Sans doute a-t-il raison — pour sa part — de chercher du « vierge et du vivace ». Comme le dit Robert Browning, « *the best is yet to be* ».

La route de Bernières et de Saint-Aubin est un enchantement. Ils sont libres, sans autre but que la côte ensoleillée. Les jetées sont en miettes, les murs des ports éventrés, mais les femmes des marins ont mis des fleurs aux fenêtres et les rochers de la Côte de Nacre brillent à marée basse. Ils se baignent au mouillage de la Porte. Les fonds sont si bas que Gilbert peut s'y risquer sans peine, et même esquisser les mouvements du nageur. Il glisse sur les rochers mouillés de lichens marins et s'enfonce dans le sable humide, les jambes hérissées par les courants glacés qui viennent du large. Il ne peut suivre Jean-Philippe qui gagne, d'un crawl régulier, les îlots de Langrune. Il en revient essoufflé, méconnaissable : ses cheveux plaqués, son regard heureux lui rendent ses traits d'enfant. Il s'écroule sur le sable au grain solide, grès à peine décomposé.

Quand Jean-Philippe ouvre les yeux, Gilbert n'est plus à ses côtés. Il l'aperçoit au loin, sur la jetée, discutant avec un facteur en tournée.

Comprendra-t-il jamais que cette fille n'est pas pour lui ! peste-t-il. Peut-on être plus niais ! Tant d'obstination dépasse l'entendement. Jean-Philippe ne se laissera pas gâcher ses vacances. Il étale la longue serviette nid-d'abeilles qu'il a empruntée dans la salle de bains à double lavabo de sa mère — luxe rare pour l'époque — et s'allonge benoîtement sur le sable.

Le facteur est merveilleux. Gilbert rougit comme les jeunes filles qui, dans Giraudoux, « reçoivent des lettres des colonies » quand il entend parler d'une famille récemment installée dans une villa sur la route de Langrune.

— La mère est sévère, dit le préposé, toujours de noir vêtue. Peut-être est-elle en deuil ? Les filles sortent toujours ensemble.

La plus jeune est-elle brune ? Assurément. Une madone. On lui donnerait le bon Dieu sans confession. Elle se baigne pourtant, nage comme une sirène. Elle reste rarement seule avec sa sœur sur la plage. Les garçons arrivent de partout. Une véritable cour.

— Les cheveux bruns, les yeux noirs, un visage très doux, une démarche de danseuse étoile ?

— Sûrement, dit le facteur. Elles passent souvent devant la terrasse du café, sur la digue. Attendez là. Vous ne pouvez manquer de les voir. Ces jeunes filles sont du meilleur monde. Elles reçoivent des lettres de Paris et même d'Amérique. Je leur ai livré un colis de fleurs blanches qui venait d'Afrique du Sud. Un fiancé peut-être.

— La plus jeune est trop jeune, dit vivement Gilbert.

— Sans doute, répond le facteur, mais on aime les fleurs à tout âge.

— Si elles ne viennent pas à la ville, pouvez-vous vous charger de remettre un bouquet ?

— Comment donc ! Le facteur n'est-il pas l'envoyé des dieux, le messager d'Amour ? (Il incline comiquement sa casquette.) Tendresse et discrétion, telle est la devise des PTT.

Gilbert se met aussitôt à la recherche d'un fleuriste. Il n'en existe pas encore à Saint-Aubin-sur-Mer. Le seul qui exerçait avant la guerre a été prisonnier pendant quatre ans. Sa femme a transformé le fonds en salon de coiffure. En rentrant, il a changé de femme, mais il n'a pas repris le fonds. Il est jardinier municipal.

Brusquement inspiré, Gilbert parcourt les rues de la ville, de l'ancien casino au cimetière, du front de mer au Castel, cueillant une fleur à chaque parterre aménagé. Il compose un superbe bouquet qu'il enveloppe de son foulard rouge. Jean-Philippe le retrouve à la table du bar-tabac, son bouquet serré à la base par la bague de cuir du foulard et planté dans un broc d'eau.

— Nous en sommes donc aux fiançailles.

Le facteur n'a pas menti : deux jeunes filles viennent bien acheter des timbres au bar-tabac. Chaussettes blanches et jupes plissées. L'aînée paie en puisant la monnaie dans une aumônière. La cadette est vêtue d'un cardigan bordé de cuir, les cheveux plats roulés à hauteur des épaules, d'un châtain chaleureux. L'aînée est une rousse aux lunettes à monture en or. Elle gourmande sa sœur en desserrant à peine ses lèvres minces.

— Alors, vous les avez retrouvées ?

Le facteur jovial s'assied sans façon. On lui sert aussitôt un café-goutte, aux frais des étrangers, naturellement.

— Ce ne sont pas les mêmes, assure Jean-Philippe pour aider son camarade, rendu muet par la déception. Mais cette jeune fille est charmante.

Il lui sourit de toutes ses dents irréprochables. La petite lui répond timidement, comme si elle n'était pas sûre de ne pas l'avoir rencontré. La rousse la pousse méchamment en la pinçant.

— Très charmante en vérité. Je me demande si je ne vais pas les suivre.

— A ton aise, lance Gilbert, furieux.

Il assaille le facteur de questions. A-t-il des lettres qui viennent de Lyon ? La voiture a dû repartir. Il ne l'aura pas remarquée. Mais deux jeunes filles dans une villa ne passent pas inaperçues. Non, à bien y réfléchir, il n'en connaît pas d'autres. A Luc peut-être, dans le quartier des Champs-Élysées, en bord de mer. Ou aux Confession-naux, du côté de Lion. Il paraît qu'on a construit des villas pour les officiers de Carpiquet. Ce n'est pas sa tournée, il ne peut rien dire.

— Allons à Luc, à Lion, à Colleville, la déception sera la même, assure Jean-Philippe. Tu cherches une ombre, une image à peine entrevue. Les filles poussent comme des fleurs, sur la côte, en été. Tu n'as qu'à choisir.

— Je vais à Lion-sur-Mer, dit Gilbert. Viens-tu ?

— Lion et Lyon. Rien à voir. On ferme. Je suis fourbu. Poursuis tout seul ta quête. Tu seras en plein dans la zone Sword, 51e division de Highlanders. Tu trouveras des fleurs. Cette partie de la côte en est pleine. Dommage que Serge ne t'accompagne pas. Il aurait loué une barque pour visiter l'épave glorieuse du croiseur *Courbet*. Que feras-tu, tout seul, sur les sables de Colleville qu'ils veulent dédier à Montgomery ? Tout ici parle de la guerre, et rien de l'amour. Rentrons à la base. Je ne vois pas la madone de Lisieux prenant le soleil dans les champs de mines.

— Tu parles d'amour. Seras-tu jamais amoureux ?

— Je suis sûr d'une chose : c'est de l'amour que tu es amoureux. Quand on cherche à aimer, à rencontrer un être, on ne se conduit pas avec cette incohérence. La disponibilité, la liberté, ouvre à l'amour. L'idée fixe en éloigne. Tu te composes un personnage de victime d'une rencontre foudroyante. Ce cliché a disparu en littérature depuis plus de cent ans.

Gilbert reste obstinément silencieux. Il n'a pas à répondre à ce discours. En classe de première, jadis, Jean-Philippe aurait voulu jouer Don Juan. Le professeur de français n'a pas osé le lui dire, à la troupe d'Henri-IV, il n'en avait pas l'étoffe. Tout au plus pouvait-il réciter le texte d'Amphitryon. Emphatique et content de lui. *Défendez, chère Alcmène, aux flambeaux d'approcher.* Un précieux ridicule, qui se croit irrésistible.

— Même si elle entrait dans ce café, crois-tu l'impressionner, avec tes fleurs de cimetière serrées dans ton foulard rouge ? Si elle est coquette, et je suis sûr qu'elle l'est, tu seras sa dupe. Pendant cinquante ans, les femmes se joueront de toi.

A quoi bon répondre ? Gilbert se souvient de ses deux professeurs de français successifs. Le premier, mince et barbu, vibrant de passion, se livrait sans retenue à ses amours littéraires. Entrait dans la classe « cet inconnu vêtu de noir qui me ressemblait comme un frère », à moins que ne roulât soudainement, entre les rangées de tables, la Maison du Berger de Vigny. La classe était une messe poétique, où le clown de Théodore de Banville crevait le ciel pour fuir le monde « des épiciers et des notaires ». Le jeune professeur, qui sortait des camps, livrait son savoir à cœur ouvert. Gilbert l'adorait. Il rédigeait pour lui des pages enfiévrées, qui le conduisaient toujours au prix de littérature.

Le second professeur aimait Baudelaire et Flaubert. Il était gourmé, guindé, méfiant devant l'emportement des passions et les faux-semblants. Les *Maximes* de Joubert le ravissaient, comme les émois de Diderot critique. Il se méfiait de lui-même. Il ne prisait rien tant que la litote, la réserve, les vers à double ou triple sens de Racine psychologue, qu'il analysait avec une finesse infinie. Gilbert, qui n'avait pas lu la correspondance de Flaubert, ignorait encore les délices de la frustration, de la passion maîtrisée, dominée, menée d'une main de fer comme un cheval fou par un cavalier au sang froid. Le passage d'une classe à l'autre l'avait surpris. Il regrettait la chaleur romantique de son premier maître. Il ne devait jamais l'oublier. Il aurait pu lui confier, peut-être, la passion qu'il sentait naître pour Clélia. L'admirateur de Flaubert eût haussé les épaules. Quant à Jean-Philippe, il était indigne de figurer dans ce débat. Invitait-on les ilotes aux leçons de l'Académie ? Il s'en voulut aussitôt de sa sévérité. Non, il ne méritait pas qu'on l'accable. Il était aussi curieux que lui de littérature et son jugement n'était pas faux. Mais ils n'avaient pas la même sensibilité. Puisqu'ils ne pouvaient se séparer, la simple prudence recommandait à Gilbert le silence.

— Les grandes passions sont muettes, dit l'autre en singeant son air boudeur. C'est bien, rentrons. Le soir va tomber. Nous ne pouvons pas coucher sur la plage. Je n'ai pas ma brosse à dents.

Gilbert se résigna. Il reviendrait le lendemain, seul. A l'heure des bains de mer, il parcourrait les plages. Rien ne l'écarterait de sa passion. Il se sentit joyeux de cette résolution. Il chargerait son sac sur sa bicyclette, pour coucher au besoin sur place et poursuivre sa route le lendemain. Chacun devait suivre son destin.

La nuit était épaisse quand ils rejoignirent, à tâtons, le campement. Ils n'avaient pas de lampe et se guidaient aux feux de bois qui trouaient le bocage, d'un champ à l'autre. Les campeurs étaient nombreux sur la Seulles. Ils se saluaient le matin, comme les légionnaires de l'ancien camp romain qui avaient jadis peuplé le lieu-dit, entre les Longrais et le Grand Parc. Les « foulards rouges » étaient rares. Les amis de Georges, dans le bocage du Perret, étaient entourés de lycéens venus du Havre et de Caen. Les autres étaient des Parisiens. Les Jeunes Gardes avaient généralement préféré le bord de mer. Ils s'étalaient de Courseulles au Pasty-Ver. Georges avait dit à Gilbert qu'il quitterait, avec les siens, les Corfolands pour rejoindre les autres « foulards rouges ».

Assis sur une bûche, Serge les attendait en mangeant des patates. Il avait gardé le sac jeté par l'étranger sans aucun scrupule. Il n'avait pas revu Richard et le marin de hasard ne lui avait rien appris de précis sur son passé. Tout ce qu'il savait était peu de chose : il se cachait, bien sûr, et devait avoir maints vols sur la conscience. Mais il était bien jeune pour avoir pris part à la guerre.

Il avait apaisé sa soif de récits héroïques. Le marin lui avait raconté le 6 juin au matin, dans la brume des rochers du Calvados : le temps était gris, la mer agitée, la visibilité faible. Les avions avaient volé toute la nuit, lâchant des parachutistes loin vers l'est, sur la Dives. Les pêcheurs n'avaient pu sortir au petit jour, en raison des bombardements aériens qui ébranlaient villes et ports, matraquaient les batteries et les bunkers. Les gros canons des énormes bâtiments de la Navy, le *Nelson* et le *Roberts*, pilonnaient les blockhaus de la côte. Le marin avait vu, de ses yeux, l'avance des engins blindés chargés de nettoyer les plages, sous le feu roulant de la défense, surprise par un débarquement à mi-marée. Serge avait pu apercevoir au loin les pontons et les épaves coulées dans la rade artificielle de Port-Winston. Il était soûl de guerre et d'épopée.

— Demain, lui dit Jean-Philippe, nous pourrons donc aller tranquillement à la plage.

— A la plage du Pasty-Ver par exemple, avançait Serge.

— Un cuirassé échoué qui aurait échappé à tes recherches ?

— Pas du tout. Les seules épaves que j'aie vues là-bas sont deux jeunes filles venues de Lyon.

Chapitre 4

Le cœur de Clélia

Est-il à prendre, le cœur de Clélia ? Les conquistadores ont débarqué nombreux sur les plages, en larges têtes de pont, et les filles sont encore rares. Elles n'en ont que plus de prix.

Clélia — qui s'appelle en réalité Thérèse — est unique pour Gilbert. Que cette brute de Serge l'ait découverte le premier lui semble de mauvais augure. Pourquoi ne s'est-il pas dirigé vers Arromanches, au lieu de prendre la route de Rivabella ? Il aurait eu le bénéfice de la découverte. Ainsi se disputaient, au temps du Siècle d'or et des rois d'Espagne, les conquistadores.

Serge était-il sûr de son fait ? Parlait-il bien de la même fille ? Oui, elle était seule. Non, elle n'était pas venue à bicyclette. Il l'avait vue repartir à pied avec sa sœur venue la chercher. Voulait-on une preuve ? Il l'avait couchée sur papier Kodak, dans l'appareil que lui avait prêté Gilbert pour prendre en photo les casemates.

— La Packard a disparu ?

— Je n'ai vu ces dames qu'à pied.

Elle était donc seule sur le rivage américain. Pas de retour en Espagne avant longtemps. La caravelle d'Isabelle la Catholique avait repris la mer et ne reviendrait pas de sitôt.

— Les as-tu suivies ?

— Non, dit Serge, et je n'ai pas rapporté en gage son soulier de satin. Je ne leur ai pas parlé. Je n'ai pas pris rendez-vous pour demain. Une fois pour toutes, ces filles ne m'intéressent pas.

— As-tu au moins conquis le cœur de Richard ?

Le poing de Serge part tout seul. Jean-Philippe se retrouve à terre.

— Garde tes sous-entendus, dit Serge. Les affaires sérieuses ne te concernent pas.

— Tu nous permettras quand même de nous inquiéter, répond Jean-Philippe en se massant le maxillaire. Tu pars seul, ce matin, dans l'intention de revoir un type assez louche pour se promener avec des grenades dans ses poches. Nous avons, je crois, le droit de savoir jusqu'où il va t'entraîner, et nous compromettre. Nous l'avons protégé hier. Il me semble que cela suffit. J'attends tes excuses. Par ailleurs tu peux garder tes coups pour Georges et ses amis, qui nous ont gravement offensés, et t'abstenir à l'avenir de nous mêler à tes tractations avec cet individu.

— Il te semble bien, et je me jette à tes pieds. Tu as raison, comme toujours. Ce type est un pirate, « un frère de la côte ». Son véritable repaire n'est pas la casemate de Courseulles, ni même le blockhaus de la côte déserte, au large des rochers de la Valette. Non, sa base est dans les souterrains du château de Vaux, qui domine la mer du haut de sa tour, à une trentaine de mètres d'altitude. De là, il surveille les environs avec une lunette de marine qu'il a volée sur une épave. Sa cave est une caverne d'Ali Baba. Impossible d'y entrer en son absence, elle est piégée. Le chemin de ronde du château, la tour ne sont pas sûrs. Il a placé des mines antipersonnel sous les dalles amovibles. C'est un maniaque, un perfectionniste. Les caisses de munitions s'entassent dans son repaire défendu par des chevaux de frise. Il peut faire sauter le château, auquel il est relié par le souterrain. Il peut aussi, par le même moyen, échapper aux recherches et s'enfuir par le bois de Vaux, dont les sorties sont masquées par d'épais fourrés et des ronciers inaccessibles. Réputée terrain militaire, la zone n'a pas été déminée, ni rendue à la circulation. Il y fait ce qu'il veut.

— A qui vend-il ses munitions?

— A qui les achète. On vient la nuit, en barque. Les clients, paraît-il, ne manquent pas. Surtout pour les mitraillettes allemandes. Il en a plusieurs caisses.

— Je suppose, dit fort sérieusement Jean-Philippe, que tu n'as pas l'intention de devenir trafiquant d'armes.

— Pourquoi crois-tu que je vous parle à cœur ouvert? Je suis encore moins marchand de canons.

— Plaît-il?

— Il démonte tout ce qu'il peut, pour le revendre aux ferrailleurs du Havre qui sont d'authentiques anciens de la Charlemagne. Des dangereux. Je ne sais pas ce qu'ils font des canons. Ils doivent savoir réparer les antichars.

— Lui-même a-t-il un passé?

— Un passé de délinquant sans doute. Je ne sais rien de plus. Pas d'uniforme allemand dans le repaire. Pas de décorations ni de casque. Ce pourrait être un déserteur canadien. Tu n'avais pas tort.

— Des parachutes?

— Je n'en ai pas vu. Il possède tout un stock de fusées d'alarme pour la marine qui lui permettent de mystifier les gardes-côtes en les attirant, la nuit, vers les récifs dangereux. Il est auréolé d'une légende. On lui prête tous les accidents, les vols, les catastrophes. C'est toujours lui.

— Pourquoi les gens de Courseulles n'organisent-ils pas une battue?

— Sans doute le craignent-ils. Le marin m'a dit qu'il en surprend plus d'un, la nuit, son poignard de parachutiste sur la gorge. Les gens jurent tout ce qu'il veut. Pas un ne parlera aux gendarmes, qui d'ailleurs viennent rarement à

Courseulles, ceux qui subsistent se partagent le territoire de plusieurs brigades. C'est un jeu pour lui que de les faire marcher. Il faut aussi penser à la contrebande. Nombreux sont les pêcheurs qui lui servent de revendeurs.

— Ce n'est donc pas un voleur de pommes, dit Jean-Philippe.

— Il vole aussi des pommes, il ose de temps en temps se montrer au village, toujours rapide, insaisissable.

— Que t'a-t-il proposé ?

— Il a besoin de bras pour évacuer les pièces et les transporter au Havre. J'ai refusé.

— Il est seul dans son repaire ?

— Absolument. Son système repose là-dessus. Il ne m'aurait engagé que sur un coup. Il n'était pas question de m'associer à ses affaires.

— Es-tu sûr d'avoir refusé ?

— Je te le jure sur ce que j'ai de plus cher. Et tu es le seul à connaître ce que tu ne révéleras jamais, sauf si je trahissais ton amitié.

Jean-Philippe reste silencieux. Le secret de Serge lui pèse. Pour rien au monde il ne le révélerait, même s'ils ne devaient plus être amis. Gilbert se sent étranger à ces sous-entendus. Il se couche dans son duvet, parce qu'il ne veut penser qu'à Clélia.

Il la reconnut tout de suite. Seule sur un banc de sable sec. Les mouettes picorant les algues échouées la nuit sur le sol meuble et fauve, qui respirait des milliers d'organismes enfouis, dont les bulles crevaient la surface de l'eau stagnante, ne parvenaient pas à troubler son isolement. Gilbert resta un moment à distance. Pourrait-elle le reconnaître parmi les groupes de pêcheurs.

Clélia Conti était aussi entourée d'oiseaux, dans la forteresse du podestat de Castelnovo. Pour la punir, le gouverneur son père avait fait murer la cage : ainsi ne verrait-elle pas le prisonnier. Gilbert craignait des pièges de ce genre. Il aurait tant désiré qu'elle le reconnût d'elle-même, sans qu'il eût à l'aborder.

Pour sa première rencontre, il ne voulait pas de témoins. Il serait temps, son siège une fois fait, de repousser les assauts des autres. Il devait prendre place sans coup férir dans le cœur de Clélia. Pourquoi ces métaphores militaires ? Qui parlait de conquête ? N'étaient-ils pas attirés l'un vers l'autre, sans qu'il fût nécessaire de troubler ces liens immatériels par la rudesse inutile d'un abordage ? Gilbert détestait la stratégie de la séduction, où Jean-Philippe aurait dû être un maître s'il n'avait pas été si négligent. Pouvait-il espérer retenir l'attention d'une inconnue ? Remarquerait-elle, sous les mèches sombres qui cachaient son front, l'éclat de son regard ? N'en serait-elle pas effrayée ? Leur union était prévue de toute éternité. Elle le reconnaîtrait nécessairement.

Ces longues jambes souples, cette démarche de souveraine la rendaient cependant inaccessible. Ses cheveux, coupés fort court, formaient de loin un cercle de gloire, une sorte d'auréole qui entourait son visage, dont la beauté était, en soi, parfaite. Elle partait pour le large, en précipitant ses pas. Il eut peur de la rejoindre. Elle nageait bien, comme les jeunes filles de son milieu. Il n'avait aucun moyen de la suivre, ni de la poursuivre. Il profita de son éloignement pour se rapprocher de l'endroit qui avait gardé la divine empreinte de son corps. Il se mit à dessein en retrait et prit garde, à son retour, de se tourner vers la digue, pour être sûr de n'être pas reconnu. Il voulait l'observer tout à son aise.

Sa beauté, au sortir du bain, était fascinante. Rien des courbes complaisantes qu'exhibaient alors, dans les journaux de cinéma, les vedettes à la mode. Une sveltesse charmante, des gestes d'une simplicité presque naïve. Les cheveux plaqués par l'eau de mer mettaient en relief l'ovale de son visage dont la régularité était rehaussée par les pommettes hautes qui la désignaient pour les métopes des temples divins. Elle n'était certes pas la Promachos, ni l'Aphrodite de Cnide. Mais elle pouvait figurer en bonne place au panthéon des Néréides. Gilbert, qui se surprenait le soir à rêver en vers d'Homère, lui faisait une place de choix dans son *Iliade*. Pour elle, les rois de la Grèce seraient morts.

Elle disparut sous le blanc peignoir qu'elle avait sorti de son sac de plage car les cabines de bain n'existaient plus. On ne voyait pas son visage, tant elle mettait d'ardeur à se sécher les cheveux dans une immense serviette. Elle en fit un turban en la nouant, avec adresse, derrière sa tête. Des lunettes de soleil à la monture fort large cachaient ses yeux. Elle entrait dans sa forteresse.

Gilbert s'aperçut qu'elle observait les alentours. Il était impossible de distinguer l'éclat de ses yeux, à cause des verres teintés. Gilbert ne pouvait surprendre la direction de son regard. Le buste droit, le front à l'arrondi parfait, la fixité du visage semblaient annoncer que Clélia se désintéressait des petits événements de la plage et qu'elle tenait à préserver sa chère solitude de toute intrusion brutale et vulgaire. Gilbert crut mourir de honte quand, retirant ses lunettes, elle se retourna brusquement. Leurs regards ne pouvaient manquer de se croiser. Il serait rentré sous terre.

Sa timidité l'empêchait sans doute d'esquisser le moindre sourire. Jean-Philippe n'aurait pas manqué de saluer la belle, avec assez de tact pour qu'elle lui répondît d'un battement de cils, même si elle considérait cette rencontre comme fâcheuse. Était-ce le cas? Avait-elle ressenti son regard comme un viol? Il devait la rassurer, se faire reconnaître, par exemple en coiffant ses cheveux. Cette idée enfantine fut aussitôt repoussée. Un souvenir du temps où sa mère lui demandait sans cesse de relever sa mèche. « Montre tes yeux, lui disait-elle. C'est ce que tu as de mieux. »

L'angoisse aussitôt l'étreignit. Il ne pouvait séduire, ni même attirer le regard. Il était de ceux que l'on ne reconnaissait pas. Il lui était indifférent. Les garçons devaient venir, nombreux, s'asseoir à quelque distance. Certains osaient peut-être lui parler. Il s'en voulait de cette indélicatesse. Comment prendre le risque d'être confondu avec le troupeau de ses admirateurs sans mérite, qui n'avaient rien fait pour elle, pour qui elle n'était rien de plus qu'une jolie silhouette sur le sable ?

Il ne pouvait s'empêcher de la suivre des yeux. En fut-elle gênée ? Elle se retourna franchement, lui faisant face. Il se risqua à la saluer d'un sourire. N'étaient-ils pas seuls sur cette plage dévastée, perdus dans cette fin de monde ? Pourquoi n'auraient-ils pas enfin renoué la connaissance qu'ils avaient toujours eue l'un de l'autre ? Cette pensée lui redonna du courage.

Elle ne lui rendit pas son salut mais Gilbert eut l'impression qu'elle rougissait. Elle remplaça vivement le turban qui cachait ses cheveux par un châle de dentelle ancienne et releva lentement les yeux, avec une expression d'amusement. Cette fois, Gilbert en était sûr, elle l'avait reconnu. Non pas le passant de la route de Lisieux, mais bien celui qu'elle attendait depuis son enfance.

Il fut déçu. Avec adresse, elle préparait sa retraite par échelons. Elle enfouit les lunettes noires dans le sac de plage, s'éloigna pour battre le peignoir au vent, afin d'en purger les grains de sable. C'est près de la digue qu'elle enfila un épais chandail de marin, avant de disparaître, sans se retourner.

Plus que jamais, Gilbert n'avait qu'une idée fixe : comment la revoir ? Il n'eut pas le temps d'arrêter une stratégie : ses amis débarquaient bruyamment sur la plage, leur bicyclette à la main. Ils avaient suivi le rivage depuis Courseulles pour le retrouver.

Jean-Philippe l'interpella :

— L'as-tu revue, à la fin ? Tu vas nous rendre fous !

Gilbert avait escaladé la petite échelle qui, dans les peintures naïves bretonnes, conduit les âmes pures au paradis des nuages. Pour rien au monde il n'aurait fait la moindre confidence. Sa rencontre avec celle qu'il appelait Clélia — dont il ignorait toujours le prénom — ne regardait que lui. Ils auraient bien ri de son embarras s'ils avaient su qu'il l'avait laissée partir sans oser lui adresser la parole. Ils l'auraient à jamais découragé de l'aborder, par des remarques déplaisantes, banalisant cet amour, qui sait... Jean-Philippe aurait peut-être jugé utile de lui donner une de ces leçons de séduction dont il était prodigue ? Gilbert ne voulait même pas envisager l'hypothèse. La seule parade qu'il imaginait au risque d'agression était de dissimuler la rencontre. Il était sur la défensive.

Serge, avec sa finesse silencieuse, avait deviné cela. Gilbert ne serait pas resté prostré sur la plage s'il ne l'avait pas vue. Il serait toujours à sa recherche, rôdant comme un guépard sur la digue du Pasty-Ver.

— Grimpons à la Croix-Guillaume, dit-il en regardant la carte pour faire diversion. De ses cinquante mètres, nous dominerons la côte.

— Pourquoi ne pas rester sur la plage ? demanda Jean-Philippe, candide.

— Demande à Gilbert, répondit l'autre. Il n'y a rien à voir.

La tête basse, il suivit la colonne, récupérant son vélo. La montée était dure pour gagner la Barre-Chât et le Bout-de-Bas. Avec regret, Serge voyait défiler les blockhaus de l'intérieur, tous désarmés. Ils devaient être visités par les enfants des écoles et habités, le soir, par un peuple de nomades. On peinait encore plus pour atteindre le Bout-de-Haut, où se trouvait l'église. Gilbert pédalait avec courage. Il s'imaginait qu'il pourrait apercevoir Clélia, entrant dans quelqu'une de ces maisons anciennes à la noble façade bourgeoise endommagée par les balles et les éclats d'obus. Les charpentiers s'affairaient encore sur plus d'un toit. Les maisons habitées par les étrangers devaient être rares. Que ne pouvait-il questionner un facteur !

Lorsqu'il aperçut la jeune fille dans une ruelle du Bout-Grin, au plus haut du village, il se garda de se précipiter vers elle. Serge, en tête de la colonne, ne fit pas un geste. Pourtant, en haut de la côte, Gilbert comprit à son regard qu'il avait reconnu les deux filles. Il n'avait rien dit, pour ne pas le gêner. Il lui en fut secrètement reconnaissant.

Jean-Philippe n'avait rien vu. Il refusa de s'arrêter aux redoutes de la Marefontaine.

— Tu comptes les blockhaus comme les moutons, dit-il à Serge. Tu vas finir par t'endormir.

Pourquoi grimper encore jusqu'à la Croix-Guillaume ? Pourquoi les alpinistes faisaient-ils l'ascension du mont Blanc ? Pour le plaisir, sans arrière-pensée. La mer était si belle, le ciel si clair qu'on distinguait au loin les épaves d'Arromanches. Clélia venait-elle ici le soir, au soleil couchant ?

Les ronces déchiraient leurs jambes à mesure qu'ils approchaient du sommet, au-dessus de la Croix-Guillaume. Les vers d'Alfred de Vigny revenaient à la mémoire du garçon :

> *Si l'herbe est agitée ou n'est pas assez haute,*
> *J'y roulerai pour toi la Maison du Berger.*

Que n'aurait-il subi comme épreuve pour être seul avec Clélia. Il lui fallait redescendre, pour la suivre, lui parler, la voir, il devait, de toute urgence, se séparer de ces deux-là.

Jean-Philippe l'interrompt dans sa rêverie solitaire, il a très envie de visiter le château du Creullet, où Montgomery tenait son état-major.

— La première étape sur le chemin de Bayeux, qui est
à de Gaulle ce qu'Orléans était à Jeanne d'Arc.

— Sauf qu'il n'était pas le libérateur de Bayeux, dit
Serge, ironique.

Il se demande ce qu'il va trouver au château de
Creullet. Quelques photos peut-être. Les Anglais ont
certainement tout démonté.

Gilbert, sans demander son reste, a laissé en tête à tête
les experts de la bataille de Normandie. Il a sa propre
guerre à mener : l'investissement de la citadelle du Pasty-
Ver.

Elle sort de la villa, une raquette de tennis arrimée à
l'arrière de sa bicyclette. Sa jupe plissée blanche est étalée
autour de la selle et retombe en corolle : elle monte en
montgolfière, comme dit Serge. La jupe cache à moitié la
roue. La jeune fille vérifie que les filets colorés, de part et
d'autre du garde-boue, protègent bien de la chaîne et des
rayons. Elle fixe sur son porte-bagages les cadres de bois
épais qui serrent la raquette avec des vis à ailettes. Les
balles sont dans un sac de toile, sur le guidon.

Gilbert a noté ses moindres gestes, qui sont de nouveau
l'indice d'un esprit précis. Il a décidé de la suivre, mais
avec discrétion. Elle passe à Crépon, où des jeunes gens
attablés en terrasse lui font des signes d'amitié. Elle
poursuit son chemin vers Maromme. Une pente abrupte
la fait descendre à toute vitesse vers le château, où l'attend
un homme jeune, en pantalon blanc à pli. Gilbert assiste
du haut de la côte à toute la scène : le dandy aux cheveux
plats séparés par une raie médiane s'incline avec cérémonie, comme s'il voulait baiser la main de Clélia, qui
descend avec grâce de sa selle et lui confie le guidon. Un
domestique se charge de la monture. Va-t-il lui donner du
foin ? Du picotin d'avoine ? L'accueil est seigneurial.
L'amazone attendue s'indigne qu'on n'ait pas retiré du

porte-bagages sa précieuse raquette. Elle est aussitôt servie par le domestique qui balbutie des excuses. Ils disparaissent dans l'allée qui mène au château. Gilbert, que rien n'arrête, trouve une brèche dans le mur d'enceinte et s'installe « aux premières loges », caché par un rideau de lierre blond.

— Nous sommes attendus sur le court, dit l'homme à la fine moustache. Votre sœur est déjà en piste.

« Voici Thérèse, qui vient pour disputer le double, messieurs et dames », annonce à la ronde le preux chevalier.

Un officier américain aux cheveux roux coupés très court parle avec Daisy, la blonde sœur de Thérèse-Clélia en short blanc, tranchant net la ligne de ses jambes déjà dorées. Le « messieurs-et-dames » semble une promesse de plaisir. Thérèse rougit, sa raquette à la main, saluant à peine l'Américain.

— Dames contre messieurs ? propose galamment raie-au-milieu.

— Messieurs seuls ! lance Thérèse qui grimpe sur la chaise de l'arbitre. Je suis si lasse.

— Un simple messieurs, dit la sœur. Je prends le vainqueur.

Le brun s'arrange pour perdre. Il n'a du reste aucun mal. L'Américain frappe mécaniquement, comme à la cognée. Il joue en fond de court et ses lobs méthodiques déconcertent, fatiguent, épuisent bientôt l'adversaire. Du haut de sa tour, Clélia ne daigne pas suivre les balles. Les yeux perdus vers Meuvaines, dont on aperçoit en contre-bas les tours, elle semble regretter, se dit Gilbert, de ne pas être ailleurs. Elle a bien choisi sa position. Sa sœur ne peut lui faire aucun reproche, elle piaffe autour du court, fait des exercices d'assouplissement que Gilbert juge impudiques, sans doute pour attirer l'attention des garçons et leur faire oublier l'inexplicable froideur de Thérèse. Ce court est le seul de la ville, probablement de toute la côte, à rester en état. On dit que Montgomery lui-même venait s'y détendre avec son chef d'état-major. Mais Thérèse est lasse. Daisy la regarde, perplexe. Qui faudrait-il lui présenter pour qu'elle daigne jouer? Jean Borotra? Il a été, à Polytechnique, le professeur d'Émile, le jeune homme à la raie au milieu. C'est un joueur fort convenable que son père appréciait. Daisy — qui s'appelle en réalité Dominique, mais se fait appeler Daisy pour plaire au jeune ingénieur de l'armée américaine qu'elle veut séduire — n'aime pas Émile. Elle le trouve trop guindé, trop vieille école. Raide comme son épée et vieillot comme son bicorne. Mais Thérèse ne regarde jamais que les albums jaunis de l'avant-guerre. Émile est pourtant tout prêt à l'entourer d'égards, à l'isoler derrière les murs épais de son hôtel particulier de Clermont-Ferrand où il exerce, si jeune, la charge de directeur des Eaux thermales d'Auvergne, avec le grade d'ingénieur des Mines.

Il se plie, à se casser en deux, pour répondre aux lobs vicieux de l'Américain, qui croise son tir, comme les cuirassés en rade, pour mieux le perdre. Les mèches de ses cheveux, dérangées par l'effort, lui masquent la vue. Il voudrait être plus brillant, pour éblouir Thérèse, mais il n'est pas fâché de perdre en deux sets, pour la retrouver plus vite.

Pourvu qu'il ne me demande pas de jouer avec lui..., songe Thérèse. Jadis, son père invitait ce garçon, mais il ne l'aimait guère. Trop pressé d'arriver. Il lui avait confié une mission à Lyon, au temps de Résistance-Fer, sans l'engager dans le réseau. Il avait rejoint le maquis du Vercors. Thérèse ne pouvait s'empêcher de penser, quand elle voyait Émile, que son père était resté à Dachau, qu'il n'avait eu aucun moyen de s'en sortir. Émile n'y était, certes, pour rien. Mais il avait le tort d'être là.

— Tu ne peux pas refuser une partie à Émile, dit vivement Daisy en tirant sa sœur par la jupe. Il a passé la matinée à blanchir ses sandales d'avant-guerre. Il t'attend depuis l'aube.

— Qui sait, peut-être me laisserai-je tenter..., après la prochaine guerre, dit Thérèse en descendant de son perchoir.

Elle lisse avec soin sa jupe, qui lui descend presque jusqu'aux pieds. Derrière le grillage, Gilbert se désespère. Elle s'est habillée pour lui, se dit-il. Une robe ancienne, qui appartenait à sa mère. La partie de tennis était prévue, programmée, comme un avant-goût de fiançailles.

— Un simple mixte ! Cela n'existe pas, dit-elle.

— Cela existe, puisque nous le voulons, répond le grand jeune homme en lui prenant le bras.

Il lui tend galamment sa raquette et trois balles fort usagées — des rescapées des tournois d'antan, oubliées quatre ans au grenier.

Gilbert n'a jamais vu un match de tennis. Pas de court à Henri-IV. Les séances de « plein air » se déroulaient, par la ligne de Sceaux, au stade de la Croix-de-Berny. On y courait le mille mètres sur piste cendrée. Les plus courageux jouaient au football, les autres au basket. Personne n'avait jamais tenu une raquette. Il ne pouvait savoir que les polytechniciens étaient fous de tennis. Le champion Jean Borotra, un ancien élève, revenait à l'école pour des matches et donnait des leçons pendant la guerre.

— Je vous laisse le service, dit raie-au-milieu. N'abusez pas de votre force.

Thérèse-Clélia ne daigne pas sourire. Elle économise ses mouvements, pour ne pas donner d'ampleur à sa jupe. Gilbert admire la grâce de ses bras nus, quand elle les déploie au-dessus de sa tête. Même contrainte, elle reste belle. A peine remarque-t-il sa bouche pincée, ses yeux fixes et sans expression, quand elle frappe la balle de service, au ras du filet.

Émile reprend galamment, haussant le tir pour qu'elle soit à l'aise. A dessein elle perd, non pour se faire plaindre de sa médiocrité, mais pour en finir. C'est avec son père qu'elle aurait voulu jouer. Ce pied-plat l'exaspère.

Gilbert voit son idole lâcher sa raquette, comme un escrimeur perd son épée. Son partenaire saute au-dessus du filet pour lui venir en aide au moment où elle quitte le court sans mot dire, en faisant, de dos, un geste d'adieu. Sa sœur, trop occupée, sous les charmilles, à repousser les assauts du Yankee, ne la voit même pas s'éloigner.

Elle est libre! Fou de joie, Gilbert quitte son abri et la rattrape dans la descente de la Marefontaine. Il dévale la pente, penché sur son guidon, comme Bartali à la descente du Tourmalet. Il entend les cris d'encouragement de la foule, les applaudissements sur la ligne d'arrivée, il la dépasse, se rabat, se retourne. Il lâche son guidon pour lui tendre les bras.

Elle freine brusquement. Est-il fou? Son visage ne lui est pas inconnu. Bien sûr! le jeune homme de la plage, celui qui la dévisageait. Elle daigne sourire, en tournant sa roue pour le contourner. Il l'arrête.

— Je vous attends depuis si longtemps. Vous ne pouvez pas me refuser une promenade. Connaissez-vous la Croix-Guillaume?

Il a dit ce qui lui venait à l'esprit, sans réfléchir. Elle aperçoit en un clin d'œil ses jambes marquées de cambouis, son vélo lourd à la peinture rouillée, le foulard rouge qui masque son cou long et grêle, la mèche sale sur son front. Mais son regard est si persuasif qu'elle esquisse un sourire.

— Pourquoi la Croix-Guillaume? dit-elle.

Questionner, c'est accepter. Il a gagné.

— *Je sais sur la colline une épaisse bruyère où les pas du chasseur ont peine à se plonger.*

Un poète! C'est inattendu. Elle ne croyait pas que cela pût exister dans ces horribles bandes de « foulards rouges », qui entonnent à longueur de journée des chansons qu'elle ne connaît pas. Précisément, la poésie l'attire, au moins autant que l'inconnu. Pourquoi ne pas se

97

laisser convaincre ? Ce jeune homme n'est pas dangereux :
à l'évidence, ses désirs dépassent ses moyens.

— Je vous suis, dit-elle doucement. Conduisez-moi à la
Croix-Guillaume.

Gilbert s'engage sur un chemin vicinal qui se rétrécit
jusqu'à devenir un sentier. Ils sont au cœur des Noires
Terres, dont les champs égayés de fleurs dévalent vers la
mer.

Elle est étonnée qu'il ne lui demande pas son prénom.
D'ordinaire les garçons commencent par là. Elle ne peut
savoir qu'elle est pour lui Clélia, l'image de la jeune fille
de Parme. Accepterait-elle de figurer sur sa carte du
Tendre ? Pour continuer vers le sommet, Gilbert propose
d'abandonner les bicyclettes.

— Nous ne les retrouverons jamais ! dit-elle en souriant.

Elle lâche pourtant son vélo neuf dans un tapis de
fraises sauvages.

— Un cadavre exquis, dit Gilbert, qui n'aime rien tant
que les surréalistes. (Il attache son foulard rouge à la
branche d'un chêne.) Voici nos marques. Nous ne pouvons
pas nous perdre. Mais nous pouvons entrer dans une vie
nouvelle, oublier définitivement ce que nous laissons.
Nous sommes libres.

Elle court sur le sentier, sourde à ses propos, faisant
voler sa robe blanche, fleur parmi les iris d'eau et les
glaïeuls sauvages. Les Noires Terres sont bordées
d'épines, mais le sentier contourne les massifs, débouche
sur des cuvettes d'herbe tendre. Gilbert s'épuise à la
poursuivre, elle est agile, et preste à se dérober. Quand il
la rattrape enfin, il ose la serrer dans ses bras. Elle s'y
repose un instant, lui échappe et reprend sa course.

— Tu cours plus vite que Diane, lui dit-il, surpris de la
tutoyer si vite.

— Je n'aime pas la chasse, autant te le dire tout de
suite, et encore moins les chasseurs.

— Diane était la déesse des animaux sauvages, et non des chasseurs.

— De quels animaux ? demande-t-elle en regardant les branches hautes du chêne. Des écureuils, des marmottes ?

— Non point, des ours, des biches et des cerfs. On raconte qu'à Nemi, où elle avait son sanctuaire, celui qui voulait obtenir la faveur de célébrer son culte devait avant l'épreuve finale briser la branche de l'arbre sacré, dit-il en coupant un rameau de chêne.

— Ne me dis pas que l'élu devait tuer un cerf.

— Nullement. Un homme, plutôt : celui qui l'avait précédé dans le cœur de la déesse.

Il avait dit cela gravement, comme s'il se proposait pour le meurtre rituel. Elle en fut soudain effrayée. Le jeu allait trop vite, il pressait la cadence.

— Il n'y aura jamais personne dans mon cœur.

Il s'assoit à ses pieds, les bras sur les genoux, la tête dans les mains. Il ne rêve que d'elle depuis Lisieux. Elle ne se souvient même pas, sans doute, de l'avoir croisé. Il l'a suivie depuis Courseulles, pensant à elle jour et nuit. Il entend que son cœur est glacé. Qu'elle ne soit pas promise au joueur de tennis n'est qu'une mince consolation. Il ne pouvait l'imaginer dans les bras de ce « double mètre ». Quand elle a prononcé ces paroles de dissuasion, presque sur le ton du désespoir, elle l'a brisé dans son élan. Il avait eu la faiblesse de croire qu'elle entrait avec lui dans la danse de la liberté. Elle s'en retirait soudain, comme accablée par un souvenir qu'il n'avait pas réussi à chasser. Investie par ses regrets, accablée peut-être par des illusions abandonnées, son regard perdait son éclat, pour s'embuer, s'appesantir comme celui d'une femme mûre, dont le temps n'est plus l'allié. A-t-elle déjà perdu le goût du « bel aujourd'hui » ? Rien ne peut-il l'arracher à sa mélancolie ? Gilbert y avait réussi, l'espace d'un instant. Mais son passé la reprenait en main, aussi sûrement qu'un garde-chiourme.

Le père a muré la volière, songe Gilbert en pensant à Clélia Conti dans la forteresse de la tour Farnèse. Les oiseaux sont morts.

— *De Chine sont venus les pihis longs et souples, qui n'ont qu'une seule aile et qui volent par couples.*

Il lâche à tout hasard les vers d'Apollinaire, comme on lâche des pigeons prisonniers pour qu'ils portent un message. L'amour n'est pas une thérapeutique, se dit-il. Je ne puis la guérir de sa mélancolie. Quelque fée mauvaise la tient prisonnière d'un sort jeté.

Elle lui prend la main en souriant, le regard encore lointain, un message est passé. Il a franchi la brume de ses pensées. Elle est de nouveau libre.

Elle ne lui demandait rien de son passé, comme si le sien eût été assez lourd à porter pour qu'elle ne s'encombrât pas, en plus, de son bagage. Peu lui importait. Sa vie était neuve depuis qu'il l'avait connue. Spontanément, il avait vidé les tiroirs de ses souvenirs. Il ne se rappelait plus rien, pas même les amis qu'il avait quittés à la Croix-Guillaume. Il avait bu à la source délicieuse du Léthé.

Ils errèrent longtemps dans les boqueteaux et les friches qui entouraient les terroirs. En choisissant le sens de la pente, ils contournaient les Noires Terres pour se retrouver sur la butte marquée d'une borne.

— D'ici, César, dit Gilbert, contemplait l'Angleterre.

On apercevait au loin vers le sud le clocher de Tierceville et les carrières d'Orival. Les méandres de la Seulles brillaient au soleil. Gilbert n'avait nulle envie de rejoindre le campement. S'il avait eu sa tente, il l'aurait plantée là, sur la colline, exposée à tous les vents. Chacun aurait pu voir qu'il aimait la plus belle fille du monde. Elle l'avait suivi. Elle ne voulait pas plus que lui redescendre aux pays des crabes de mer.

Il voulut en être sûr. Elle dansait en rond sur le sommet, telle une fée des contes normands. Elle échappait à son étreinte, faisait de nouveau jaillir en corolle sa jupe plissée.

Une bourrasque de vent la fit trébucher. Il la recueillit aussitôt.

— Partons ensemble, lui dit-il. Je ne veux plus te quitter.

Elle le repoussa vivement. Il regretta de l'avoir effrayée. Trop tard ! Elle descendait la colline à grandes enjambées, retrouvait le sentier, la bicyclette et partait sans se retourner.

Tant de précipitation décourageait la poursuite. Gilbert humilié n'avait pas tenté le moindre geste de « flirt », comme on disait alors dans les lycées. Il s'était gardé de lui baiser les lèvres, alors qu'elle y semblait prête, sous le chêne, quand il évoquait Diane. Sans doute avait-il brûlé les étapes en lui parlant d'amour avec véhémence. Mais avait-il vraiment parlé. Et l'avait-elle entendu ? Sûrement pas ! Elle était sourde à tout discours cohérent. Certains mots la réveillaient, les vers par exemple. Elle bondissait alors, pour danser, rire, tourner sur elle-même, s'étourdir. Elle aurait dansé des heures, si quelque musique céleste était sortie des nuages. Il avait voulu plaider, convaincre, séduire par des mots. Elle voulait courir, danser et rire comme une enfant. Il lui avait proposé de l'attirer sous une tente, de tracer les limites d'une ville idéale d'où elle ne sortirait plus. Elle voulait bien être Diane, mais non l'épouse de Zeus. Surtout pas.

Désarçonné par la rapidité — avait-il été assez maladroit pour lui rappeler un épisode cruel ? —, Gilbert s'en voulait de n'imaginer les situations qu'à son avantage. Peut-être le souvenir d'un amour déçu l'avait-elle brusquement aiguillonnée, au point de lui faire perdre tout contrôle. Il était, dans la journée, le deuxième qu'elle eût repoussé. Il pensait désormais sans mépris au malheureux Émile, traité avec tant de désinvolture. Mais aussi, pourquoi lui avait-il pris le bras familièrement ? Pourquoi s'était-il permis de l'engager dans une partie à quatre, en partenaire obligée ? Elle flairait les pièges, elle les évitait à toute allure. Une renarde.

Elle avait disparu aussi vite que les étoiles filantes se perdent dans la Voie lactée et « les blancs ruisseaux de Chanaan ». Il avait été victime d'un songe.

Sa bicyclette à la main il marchait dans la descente, ne sachant que faire. La guetter de nouveau à la sortie de la villa n'avait pas de sens. Elle le repousserait avec hauteur. Il ne voulait pas être traité comme Émile, prêt à toutes les humiliations pour parvenir à ses fins honnêtes et repoussantes : le mariage polytechnicien. Les fermiers de la Ransonnière avaient disposé des tables recouvertes de nappes blanches, pour attirer les cyclistes en promenade. On leur servait du lait et des pommes. La saison des fraises était finie. Il fut salué par des cris : Serge et Jean-Philippe étaient attablés sous la tonnelle, éméchés par un pichet de cidre.

— Tu nous avais caché que tu jouais au tennis, dit perfidement Jean-Philippe.

— Nous avons vu passer ta dulcinée, précisa Serge. Elle avait une raquette sur son vélo.

Gilbert s'assit, accablé.

— Qu'avez-vous prévu pour ce soir ?

— As-tu crevé ton pneu ? s'inquiéta Serge. Pourquoi es-tu descendu à pied ?

— Pour profiter du paysage.

— On le voit mieux à deux, quand on regarde dans la même direction, dit Jean-Philippe, acide.

Il devinait une intrigue et ne supportait pas le silence de son camarade. La fille l'avait-elle repoussé ? Qu'il laisse la place à d'autres, et tout serait dit. Jean-Philippe ne se mettait pas sur les rangs. Il n'aimait pas, disait-il, les « gamines ».

A la surprise générale, Serge se mit à chanter. On lui ignorait ce talent. Il est vrai que sa voix sourde n'était guère en mesure d'imiter Tino Rossi.

— *Bohémienne aux grands yeux noirs, tes cheveux couleur du soir et l'éclat de ta peau brune...*

Gilbert ne put en supporter plus. Il sauta en selle et descendit la pente. Vers Courseulles.

Le jour tombait quand les deux amis rentrèrent au campement. Gilbert s'était enfoui dans son duvet et dormait, sous la tente.

— Je suis malade, dit-il à Serge qui le réveillait pour prendre de ses nouvelles.

Il avait envie de s'excuser mais ne savait pas comment s'exprimer.

— Viens avec nous, lui dit-il. Tu n'es pas malade, tu es seulement contrarié. Nous allons à la Grande-Marée.

— Pour une fois, ajouta Jean-Philippe, nous serons à la fête. Ils servent des huîtres et des moules.

— C'est le seul dancing de la région. Il paraît que les filles y viennent. Un orchestre terrible, avec des airs américains.

— Nous sommes samedi, indiqua Jean-Philippe. Le jour des enlèvements.

— S'il ne sait pas plus danser que nager, dit Serge, découragé, laissons-le dormir.

Pas danser, Gilbert? Il se leva aussitôt. Dans la Creuse, à Guéret, il chantait dans l'orchestre où son ami Henri jouait de l'accordéon. L'institutrice disait à l'école qu'il avait la voix de Guétary. Pas danser? Allons donc! Il avait appris, sur le parquet de la fête au village, toutes les figures du paso doble. Il rentrait tard le soir, les mois de vacances, et quelquefois au petit jour, les reins fourbus. Il connaissait le fox-trot, et même le boogie-woogie des Américains. Qu'on ne le mette pas au défi, il était capable de danser toute la nuit.

Ils décidèrent de s'habiller en tenue de soirée : pantalon long pour tout le monde. Serge avait un treillis kaki, Jean-

Philippe un velours à fines côtes bleues, Gilbert, un à grosses côtes noires. Le premier enfila une chemise de soie monogrammée à son nom, l'autre une chemise à carreaux achetée sur le marché. Jean-Philippe glissa négligemment une pochette dans sa chemise. Gilbert n'osait reprendre son foulard rouge. Il endossa un blouson américain de toile mince, qui le rendait encore plus fluet. A la lueur de la lampe, Jean-Philippe se coiffait avec soin devant la glace ronde fixée au tronc d'un arbre. Serge haussa les épaules. Il lui suffisait de se mouiller les cheveux et de les tirer en arrière avec un peigne pour qu'ils fussent lisses.

— Passe de la gomina sur ta mèche, dit le dandy à Gilbert. Rien n'est plus odieux aux filles qu'un type dont elles ne voient pas les yeux. Tu devrais changer de coiffure. Ils ont un salon sur le port. Les cheveux courts t'iraient bien.

— Ils sont raides, fins et toujours sales, répondit Gilbert avec un brin de provocation. La mode n'est pas aux tondus, sinon je la suivrais volontiers. Il paraît que j'ai une belle forme de crâne.

— Ce que tu as de mieux, répondit fort sérieusement Jean-Philippe, c'est l'ovale de ton visage. La mèche barre tout.

— Ces dames au salon ont-elles terminé? lança Serge. La voiture est prête.

On n'avait jamais vu Gilbert la pipe au bec. Il s'était acheté un modèle sophistiqué, un tuyau de verre chromé, transparent, surmonté d'un fourneau de bois recouvert de métal. Le buraliste lui avait assuré que le filtre de l'engin arrêtait la nicotine et qu'il pourrait fumer sans crainte. Il s'était laissé convaincre. L'effet obtenu était surprenant. On le croyait affublé d'une sorte d'appareil pour redresser la mâchoire. Serge, par coquetterie, avait coiffé une casquette de couleur vive. Jean-Philippe arborait un chapeau tyrolien, avec une garniture en plumes de paon.

— C'est dit, Serge, le chapeau de zozo.

Quand ils entrent à la Grande-Marée, l'effet est saisissant. Jugeant au premier coup d'œil que les drôles ont du répondant, le patron les installe à côté de l'estrade où trône l'orchestre. Le saxo s'interrompt pour saluer leur entrée d'un long cri étranglé. La salle est déjà sombre et les serveurs allument des bougies dans des verres, à chaque table.

Personne ne s'aventure encore sur le carré de parquet ciré qui sert de piste de danse. On mange des crustacés, en buvant du cidre ou du vin blanc. Certains commandent des andouilles de Vire, qui figurent au menu, bien que leur authenticité, au dire d'un voisin du groupe, soit des plus douteuses. Le patron fabriquerait lui-même ces andouilles, qui n'ont rien de commun avec celles que l'on peut manger chez le père Chauvel, à l'auberge du Cheval-Blanc. Rien que d'y penser, le voisin, dont la trogne blafarde se colore peu à peu de feux de bon aloi, s'en réjouit le cœur.

— Il faut être allé chez le père Chauvel une fois dans sa vie, dit-il. Après tout, vous n'êtes qu'à soixante kilomètres.

— A peine trois heures de vélo, dit Serge, qui se promet de faire le voyage. Vire n'est pas loin de Mortain, la phase finale de la bataille de Normandie.

— Il est incorrigible, dit Jean-Philippe en souriant. Même au beuglant, il pense à Montgomery. C'est ce qu'on peut appeler une vocation.

Gilbert ne pense plus à rien. Le premier cidre bouché l'a mis de belle humeur. Il engouffre les moules avec voracité.

— L'air des montagnes creuse, dit en plaisantant Serge.

— Vas-tu cesser de lui rappeler de mauvais souvenirs ? Veux-tu qu'il retourne sous la tente ?

Jean-Philippe est intervenu à voix basse. Le vacarme de

l'orchestre est tel que Gilbert n'entend plus rien. Il est tout contre la batterie et les cymbales l'assourdissent progressivement. Il faut bientôt hurler pour se faire entendre.

Pour corser le programme, une chanteuse en robe noire paraît. Heureusement, la direction ne fournit pas de micro. Elle se lance dans *Le Légionnaire*, sous les applaudissements de la salle. Gilbert remarque une table à l'avant, occupée par des soldats américains. Ils ont remplacé les Anglais dans la région. Définitivement peut-être. Il faut croire que la chanteuse réaliste les inspire, car ils l'invitent à leur table.

— Elle fonctionne aux dollars, dit l'homme de Vire, comme toutes les filles de la côte.

Serge opine gravement. De sa vie, il n'a manipulé un billet vert. La corruption de la jeunesse normande n'est pas de nature à l'émouvoir. Il demande un autre pichet de cidre.

Quand l'orchestre attaque *Fleur de Paris*, les couples se précipitent sur la piste. Une fille tend les bras à Jean-Philippe et l'attire dans le fox-trot. Gilbert tire sur sa pipe de laboratoire, dodelinant du chef comme pour marquer la mesure. Serge invite sa voisine qu'il appelle « la margoton de Vire », et l'entraîne en piétinant le parquet comme aux jours de presse les dalles de la gare Saint-Lazare.

La gaieté des danseurs, Normands ou touristes, fait plaisir à voir. Les vieilles femmes en robe noire s'approchent de l'entrée, pour entendre la musique. Les campeurs de la Jeune Garde rôdent aussi près de la porte. Le patron se garde de les repousser. Il sait que les bals ont été trop longtemps interdits. Il a compris tout de suite, dès la fin de la bataille de Normandie, qu'il fallait rouvrir les vannes du bal populaire, retrouver les orchestres oubliés, faire réentendre l'accordéon cher au cœur des villageois. Sa réussite est formidable. On vient de loin pour être de la fête et c'est la fête tous les samedis soir.

A sa grande surprise, Jean-Philippe aperçoit des bourgeoises, qu'il reconnaît à leurs bijoux discrets, à leurs coiffures naturelles. Elles viennent s'amuser en vacances et partager les émois populaires. La guerre a-t-elle changé à ce point la société ? A-t-elle renversé les barrières sociales ? Qu'on se rassure : les bourgeois sont en groupe, aux tables du fond. Ils restent entre eux, voulant seulement jouir de la paix retrouvée, et de la musique de foire.

Les soldats américains sont dépassés par ce raz de marée. Ils croyaient se rendre à un cabaret où l'on pouvait lever des filles en buvant du champagne. Ils se retrouvent perdus dans une fête paysanne, avec des demoiselles aux joues rouges qui dansent de grand cœur. Ils se sentent exclus, incompris. Le patron fait un signe. Aussitôt le saxo vient au-devant de l'estrade, attaquant un boogie-woogie. L'un des Américains enlève sa vareuse, ôte son calot, invite une fille jeune, au pantalon blanc de marin. Il est bien tombé, elle danse en mesure. Il se livre aussitôt aux acrobaties chères aux caves de Saint-Germain-des-Prés. Le saxo fait des couacs mais le batteur, à défaut de compétence, ne manque pas de conviction. L'Américain, déchaîné, recueille une ovation. Le rythme s'accélère. La fille saute sur ses genoux, bondit comme une flèche à l'autre bout de la piste, retenue au dernier moment par la rude poigne du Yankee qui la ramène à lui, d'un simple appel du bras. Jean-Philippe, d'abord réticent, applaudit à tout rompre. Quand l'Américain, essoufflé, revient s'asseoir, il saisit la fille par la main et se risque sur la piste. Les gens font cercle autour du couple, frappent dans leurs mains, sifflent, crient, se balancent.

L'ambiance semble tomber quand l'accordéon miaule *La Java bleue*. D'autres danseurs plus âgés se précipitent avec des cris de joie, retrouvant les airs d'avant guerre. Les jeunes ignorent cette danse chaloupée, brutale, nerveuse et fringante qui pourrait faire danser des chevaux de cirque. A la surprise de ses amis, Gilbert pousse vers le parquet la fille du patron, une blonde et belle enfant du pays. Il lui apprend rapidement les pas et la jette au centre de la piste. Elle se dandine à perdre haleine pendant que Gilbert, fort grave, lui replie le bras dans le dos pour la serrer plus fort contre lui. Le patron rit aux larmes. Il n'a jamais vu sa fille dans cet exercice. Ce Parisien aux yeux cernés lui inspirait de la pitié, voilà qu'il ressemble à une étoile de cabaret. Il fait si bien réussir à sa fille les figures compliquées de la java qu'il l'engagerait sur-le-champ contre un plat de moules.

Une prestation de ce genre donne soif. Le patron n'est pas mesquin. Il fait servir aux jeunes gens une solide bolée de cidre qui disparaît aussitôt. La nuit commence.

Elle se termine tard. Gilbert est le plus acharné sur le parquet de danse. Il a trouvé une nouvelle cavalière, aussi légère et docile qu'une ombre. Il ne la sent pas peser à son bras tant elle épouse le moindre de ses mouvements. Sa taille est souple, ses jambes admirables. Elle est vêtue avec une certaine recherche et porte un boléro de cuir gris, des talons hauts, sa robe est légèrement fendue sur les côtés. Des bijoux tintent à ses bras. Elle n'échange pas une parole avec son danseur, mais ils ne quittent pas la piste. Si je m'assieds, se dit Gilbert, je tombe.

La plupart des clients sont partis. Des groupes embrumés par la trop longue soirée s'attardent, faute d'avoir l'énergie de se lever. Jean-Philippe, à demi endormi, tire la veste de Serge, de temps à autre, pour lui demander de quitter la salle. Le Normand de Vire est assoupi sur son siège. Par politesse, mais aussi pour ne pas succomber à la tentation de s'allonger à même le sol, Serge fait danser sa voisine, qui ne peut se retenir de bâiller pendant le tango.

Soudain, Gilbert doit s'arrêter. Sa cavalière, si bien accordée à son pas, se crispe. Ses yeux lancent des éclairs. Elle se raidit, s'éloigne, s'excuse : elle doit partir d'urgence.

Dans sa fatigue, Gilbert ne distingue pas la sortie de la salle, assez mal éclairée. Les bougies se sont éteintes, on voit filtrer au-dehors les premières lueurs de l'aube. La fille est happée par la solide poigne d'un homme au visage presque masqué par un épais cache-nez. Gilbert cherche à la rejoindre.

— Attends un peu, lui dit Serge. Tu ne l'as pas reconnu ? C'est Richard. Cette femme est peut-être la sienne. Il vient la récupérer. Ne pousse pas le bouchon trop loin. Il pourrait t'en vouloir. J'étais sorti prendre l'air. Je l'ai vu arriver. Avant d'aller danser, elle a longuement parlé avec le patron venu la rejoindre près de sa voiture.

Quand le jour paraît, chacun se retrouve avec ses rêves. Gilbert voulait oublier Clélia. Elle est plus que jamais présente. Serge a entrevu son mauvais génie. Jean-Philippe l'indifférent est le seul à sortir indemne de cette nuit de grand naufrage, à la Grande-Marée de Cour-seulles-sur-Mer.

Chapitre 5

Les pétards du 14 Juillet

QUAND ils arrivent au campement, la tente est lacérée, les piquets arrachés, les sacs vidés, leurs objets dispersés sur le pré aux Corfolands. On entend crier du côté de la Seulles.

Georges surgit du brouillard, un bâton à la main.

— Il a encore réussi à s'enfuir, dit-il.

Gilbert devine qu'il s'agit de Richard. Comment peut-il être jaloux à ce point ? Il n'a pas échangé dix phrases avec la jeune femme vêtue de cuir gris. Elle est arrivée au bal tard dans la nuit, seule. D'où venait-elle ?

— Elle est repartie en traction, dit Georges, après lui avoir claqué la portière au nez. Il s'est vengé sur toi. Il aurait mis le feu à la tente, si nous n'étions pas intervenus.

— Qui est cette femme ?

Georges répond, catégorique :

— Sûrement un agent de l'Organisation Charlemagne. Tu devrais le savoir mieux que moi. Je t'ai vu, à la Grande-Marée. Elle ne t'a pas fait de confidences ?

— Pas la moindre, répond Gilbert avec un accent de sincérité.

— Elle pourrait bien diriger le réseau. Prenez garde,

tous les trois, cet homme est dangereux. Sans le savoir, vous avez mis le pied dans un nid de frelons.

— Partons, dit Jean-Philippe, ne restons pas ici. Je ne suis pas un héros de série noire.

— Venez auprès de nous, sur la plage. Il n'osera pas se montrer. Nous lui donnons la chasse.

— Nous pourrions camper au Pasty-Ver, suggère Gilbert.

— Sous la digue, ou dans le marais ? Le mieux serait la Marefontaine. Pourquoi pas dans son jardin ? Tu danses toute la nuit avec l'une et tu ne penses qu'à l'autre. On a pillé, détruit notre campement. On aurait pu incendier, rançonner, placer des mines. Seule compte pour toi la Lyonnaise. Tu es incorrigible.

— Nous l'avons pris en chasse et nous l'aurons, continue Georges, tout à son idée. Soyez sur vos gardes, vous êtes menacés. Pourquoi a-t-il voulu vous donner cet avertissement ? Que t'a-t-elle dit en dansant ? Peux-tu te rappeler ? Que lui as-tu raconté ?

— Nous avons à peine parlé. Je ne crois pas l'avoir invitée. Je ne l'ai pas vue arriver. Elle était à côté de moi, sur la piste, quand je dansais avec la fille du patron. Elle a pris la suite, naturellement. Je ne lui ai pas posé de question. On parle peu, quand on danse vraiment. Il en est toujours ainsi dans les rencontres exceptionnelles.

— Serais-tu amoureux de cette fille ? demande Jean-Philippe, soudain intéressé. Il nous tarde de t'entendre parler d'une nouvelle rencontre. L'ancienne nous lassait un peu.

— Peut-on aimer une sylphide ? Si vous lui posiez la même question, elle vous répondrait qu'elle ne se souvient de rien. Nous avons à peine échangé quelques mots. Elle n'a pas cherché à surprendre mon regard, elle ne connaît pas mon visage. Seul mon corps était proche d'elle. Dans le mouvement.

— Nous entrons dans la définition de l'art, dit Jean-

Philippe pour excuser son camarade. Il va bientôt nous parler de Kant.

— Avait-elle un sac, un chapeau, des gants? questionne Georges, excédé.

— Rien dans les mains, et pas de poches; elle est partie comme elle est venue. Une ombre. Une apparition. Est-ce une femme? Je ne saurais vous dire.

— Ce n'est sans doute pas un garçon, dit Georges avec agacement.

— La traction avant était garée sur la route de Caen, dit Serge. Je l'ai vue arriver. Elle était seule. Je l'ai observée pendant son conciliabule avec le patron de la Grande-Marée avant d'entrer dans la salle. Elle a au moins trente ans.

En venant la chercher, Richard était furieux. Peut-être lui a-t-elle fait de violents reproches. Il n'est pas certain qu'ils soient amants.

Serge hausse les épaules. Ces communistes sont bien négligents. J'ai pensé à relever le numéro de la voiture : Seine-Inférieure. Cette femme, à coup sûr, vient de Rouen ou du Havre.

— Le Havre? répond Georges, subitement illuminé. Nous allons télégraphier aux camarades pour qu'ils vérifient. Les ferrailleurs de l'ancienne Charlemagne qui se cachent dans les environs sont connus.

— Partez pour Le Havre, commente Jean-Philippe, ne perdez pas une minute. Portez la guerre dans les décharges publiques, les ateliers de soudure, les réserves de ferraille. Mais, pour l'amour de Staline, laissez-nous en paix.

— C'est lui qui part en guerre, dit Georges en montrant la tente éventrée. (Il prend Gilbert à part.) C'est à toi qu'il en veut. J'ignore pour quelles raisons. Sans doute as-tu parlé avec la femme. Dis-moi tout. Il te poursuivra jusqu'en enfer, s'il croit que tu as pu lui nuire.

Gilbert, fort éprouvé, convient qu'il a échangé quelques paroles avec l'inconnue. Il a pu lui dire qu'il campait aux portes de la petite ville. Elle lui a sans doute posé des questions, très brèves. Il n'a rien dit d'autre. Il n'a pas cherché à savoir d'où elle venait, ni qui elle était. Il dansait.

— Eh bien, chante maintenant ! (Georges, soudain las, fait signe à ses camarades.) Si vous voulez coucher cette nuit sous nos tentes, libre à vous. Nous vous accueillerons.

Serge a déjà entrepris de coller des rustines sur les déchirures de la tente.

— S'il pleut cette nuit, dit-il, nous serons trempés. Il faudrait piquer à la machine de larges bandes imperméables.

Jean-Philippe est révulsé à l'idée de camper chez les Jeunes Gardes. Il accepte pourtant, du bout des lèvres, comme si cette réparation lui était due.

— Voilà où mènent vos manigances, dit-il en désignant le camp mis à sac. (Il s'adresse à la fois à Georges, à Serge, mais aussi à Gilbert.) La prochaine fois que tu exerceras tes talents de danseur mondain, tâche de te renseigner sur ta partenaire.

Ils s'appellent Robert, Louis, Roger et Maxime. Ils travaillent tous aux usines Renault de Billancourt avec Georges, sauf Maxime, qui est étudiant. Ils ne portent pas de short, mais des treillis de l'armée, surplus américains vendus sur les marchés de banlieue. Leurs chemises à carreaux multicolores, le chapeau de cow-boy de Georges ne les désignent pas comme des militants. Aucun ne porte ce jour-là le foulard rouge. Ils n'aiment pas l'uniforme. Pas d'insignes ni de badges sur leurs manches. Pas d'organisation militaire du travail.

Maxime prête sa canadienne fourrée à Gilbert, qui grelotte. L'émotion, sans doute, la fatigue ou la peur.

— Tu coucheras dedans, lui dit-il. Avec des chaussettes de laine, tu n'auras pas froid.

Gilbert remercie : son sac de couchage est également éventré.

— Nous pouvons avoir de la visite, dit Georges. Qui veut assurer la garde ?

— Moi, dit Serge.

— Sais-tu te battre ?

Il montre son couteau de parachutiste. Georges le prend et le jette à terre.

— Veux-tu mourir ? Pas d'armes, surtout. A mains nues. Il faut contraindre l'adversaire à accepter le corps à corps. (Il prend Serge comme mannequin de démonstration.) Au combat, tu ne dois pas hésiter. Pas de fioritures.

— Je ne crois pas au jiu-jitsu, dit Serge.

— Qui te parle de ces sports d'avant-guerre ? Laisse-les aux Américains, qui admirent les Japonais. Celui qui gagne n'est pas le plus savant, ni le plus fort. C'est le plus méchant. Coup de boule dans le ventre (Serge se tient les côtes, étouffe un cri de douleur), crochet à la mâchoire.

Les autres ont fait cercle, pour assister au cours magistral. Gilbert frissonne dans sa canadienne. Il ne se voit pas du tout dans le rôle. Bien que Georges ait atténué la force du coup de poing, Serge se masse la mâchoire.

— Coup de pied dans les parties, poursuit Georges en mimant seulement le geste.

Serge feint d'être victime, se plie en deux. Vivement, Georges le contourne. De l'arête de la main, il lui porte un coup sur la nuque.

— Assomme-lapin ! annonce-t-il triomphalement. (L'autre s'écroule, jouant le jeu jusqu'au bout.) Tu ne le laisses pas se relever. Coups de pied au visage, sans pitié, jusqu'à ce qu'il ne bouge plus du tout. C'est un adversaire redoutable. Tu ne dois pas lui laisser une chance.

Il mime la danse du scalp, tourne autour de Serge qui reste assis par terre, perplexe.

— Tu crois qu'il me laissera le temps de lui faire subir un traitement aussi élaboré ?

— Tout est dans la rapidité, dit Georges. En dix secondes, tout doit être terminé. Qui veut essayer ?

Il se lance dans une danse folle autour de Jean-Philippe, le menaçant alternativement de ses poings et du tranchant de sa main. L'autre reste immobile et lui dit ironiquement :

— Je trouve absurde de se mesurer à mains nues avec un homme armé. Il me semble qu'il a dans ses bunkers de quoi faire sauter la Maison du peuple. Je ne tiens pas à jouer les cobayes. Si tu veux montrer tes talents de pugiliste, à ton aise. Je ne m'engage pas dans ton commando.

— Il faut l'attaquer par surprise, poursuit Georges, comme s'il n'avait rien entendu. Quand il s'y attend le moins. Si nous restons ici, sans rien prévoir, il peut nous massacrer. Cet homme est dangereux.

— Mais il est seul.

— Je n'en suis pas sûr. Tout repose sur des présomptions.

— Edgard Puaud ? Tu connais ?

— Oui, dit Serge. *Oberführer* Puaud, commandant la Charlemagne, tué à la bataille de Berlin.

— Celui-là est mort, en effet.

Georges disparaît dans sa tente. A la lumière de la Wonder, il fouille dans son sac, en sort un porte-documents bourré de papiers, de photos. Il en tend une à Serge.

— Qui est-ce ?

Sous l'uniforme, il ne reconnaît pas le visage. Ce n'est pas Richard, assurément.

— *Brigadeführer* Krukenberg. Commandait la division avec Puaud. La femme de la traction avant pourrait être sa petite amie.

Il montre un cliché où l'on reconnaît le visage d'une jeune fille blonde, souriant de ses dents blanches, comme Eva Hitler le jour de ses noces, le 29 avril 1945. Un an tout

115

juste. Elle avait trente-trois ans. Elle a pu connaître la jeune femme habillée de cuir gris, si elle était alors à Berlin.

Jean-Philippe sort une Camel de sa poche de chemise. Il se trouve devant le cas singulier d'un garçon normalement constitué, solide et large d'épaules, qui poursuit un rêve étrange de chasseur de nazis. Sa documentation est aussi mince que sa conviction est forte. Il va sans doute annoncer que Richard pourrait avoir été un des gardes du corps du Führer.

Il tend une nouvelle photo, qui représente un lieutenant en tenue de combat.

— *Oberstumführer* Fernet, dit-il. Regardez-le attentivement.

Le visage est énergique, noirci, à demi dissimulé par le camouflage. Rien ne permet de reconnaître Richard. L'homme est brun. Il a plus de trente ans.

— La division de la garde soviétique les a tous massacrés. Mais Fernet a réussi à décrocher, avec son bataillon de Français des *Waffen SS*. Les survivants ont été regroupés. Ils ont ramassé d'autres unités éparses sur la rivière Oder. Ils ont pu s'échapper de l'enfer, passer à l'ouest par l'Italie, rentrer en France par des filières que nous connaissons bien.

— Pourquoi n'ont-ils pas été arrêtés, demande Jean-Philippe, si on les connaît si bien ?

— Protection spéciale du clergé italien. Les monastères sont inviolables. Les Américains n'ont rien tenté.

— Ils n'en avaient aucune envie, dit Maxime. Trop heureux de les engager dans les rangs de leurs Services spéciaux.

— Pas les Français de la division Charlemagne, lance Serge. A quoi auraient-ils pu leur servir ?

— Précisément, ceux-là sont revenus à l'ouest. Ils ont constitué des dépôts d'armes, s'enrichissant dans le trafic. Il faut bien armer des civils, en prévision d'une insurrection du peuple qu'ils redoutent par-dessus tout.

Maxime le plus silencieux de la bande de Georges prend la parole : il est étudiant au nouvel Institut d'études politiques qui a remplacé l'école libre de la rue Saint-Guillaume. Il ne veut pas se présenter au tout nouveau concours de l'École nationale d'administration. Il prétend qu'il n'aurait aucune chance, étant fiché par la police. Il n'ignore rien des premiers incidents de la guerre froide.

— Les hostilités peuvent reprendre demain, dit-il. Savez-vous ce que Churchill a dit, après la capitulation de Berlin ? *I'm afraid we have bled the wrong pig.*

— Les GI manifestent à Paris et au Havre parce que Truman, qui veut réarmer l'Allemagne a arrêté la démobilisation, dit Roger, sortant un exemplaire de *L'Humanité.*

— Pourquoi Staline maintient-il trois millions de soldats soviétiques sous les armes en Europe ? demande Jean-Philippe ? Pourquoi s'apprête-t-il à souffler la guerre civile en Grèce ? Les résistants communistes ne sont nulle part désarmés. Où sont les agresseurs ?

Gilbert s'impatiente. On entre dans une discussion politique dont il connaît d'avance les répliques.

— Les Français pro-nazis de l'ancienne Charlemagne sont au Havre, transformés en ferrailleurs, parce qu'un port permet toutes les combines : le départ des bateaux pour New York. Ils sont prêts à l'action. L'un des chefs est ce Fernet.

Le ton de Georges est autoritaire, il veut clore le débat.

— En es-tu sûr ? s'inquiète Serge.

— Je ne prends pas le risque du doute.

Ils se sont réveillés à trois heures de l'après-midi et n'ont pas entendu les flonflons de la fanfare des pompiers, ni le discours du maire en l'honneur du 14 Juillet devant la jetée du Débarquement.

Lorsqu'ils rejoignent le front de mer, on se prépare à la

fête du soir. Des orchestres prennent place, sur des estrades en bois blanc recouvertes aux couleurs nationales. Des Anglais en uniforme circulent le long du port. Un Écossais en tenue gonfle son bag-pipe.

— Ils n'étaient pas loin, explique Georges qui connaît, mieux que Serge encore, la géographie du Débarquement. Pour Juno, dit-il, c'est simple ; tout s'est passé autour de Courseulles. La 9ᵉ brigade a débarqué ici et à Bernières-sur-Mer. Tous des Canadiens, protégés par les chars du 26ᵉ régiment.

— 27ᵉ, corrige Serge. Heureusement pour les fusiliers du Regina Rifle qui ont échoué ici, ils avaient pour les soutenir les chars du 1ᵉʳ Hussards.

— Je n'en vois pas sur la plage, dit Jean-Philippe. Les ont-ils tous évacués ?

— Tu ne peux pas en voir, car les Allemands n'ont réussi à en toucher aucun. Les canons de 88 les ont tous manqués...

— Mais ils n'ont pas manqué les malheureux fusiliers, coupe Georges. Quarante-cinq hommes ont été tués ici même, entre la mer et la jetée, pendant les six minutes qu'a duré l'assaut. Les canons à l'entrée du port étaient meurtriers. Les Canadiens ont été pulvérisés en haut de la plage, avant d'avoir pu s'abriter sous la jetée.

— Les Winnipeg ont plus souffert encore sur la plage de Graye, de l'autre côté de la rivière, dit Serge. Ils ont découvert en prenant pied sur les péniches que le bombardement n'avait pas réduit au silence les positions allemandes. Beaucoup ont été tués alors qu'ils avançaient, le fusil au-dessus de la tête, de l'eau jusqu'à la poitrine. Ils étaient les premiers sur place, et le débarquement des blindés s'est fait attendre pendant six mortelles minutes. Quand ils sont entrés dans Courseulles, ils n'étaient plus que vingt-six dans la 1ʳᵉ Compagnie, celle qui marchait en tête. Un désastre. Les fusiliers de la Reine ont aussi trinqué à Bernières. Les chars amphibies n'avaient pas pu prendre la mer pour les aider. Trop de vagues. Soixante-cinq hommes sont morts sans avoir pu tirer. J'ai repéré la carcasse d'un de ces chars amphibies.

— Un seul? demande Jean-Philippe, qui finit par s'intéresser au sujet.

— La plupart ont été dégagés. Mais sur cette plage, quand le régiment de la Chaudière a débarqué après l'assaut, les gens du pays racontent que les hommes n'ont pas pu dépasser le passage ouvert par les chars à fléaux et les engins du génie qui avaient fait sauter les mines derrière Bernières, le marécage arrêtait la progression. On avait immergé un char dans le bourbier pour qu'il serve de pilier à un pont provisoire. Il y est encore.

— Où étaient les habitants de Courseulles? demande Gilbert.

— Dans les caves. Beaucoup avaient été tués ou blessés par le bombardement. Ils étaient assourdis par les obus, les bombes et les torpilles. Les Canadiens arrivés en renfort ont découvert ces malheureux, pâles, morts de faim et de froid. Ils les ont réconfortés de leur mieux, en leur offrant des vivres. Les péniches sautaient encore, sur le rivage, du fait des mines suspendues aux obstacles. Les fusiliers du Royal Winnipeg avaient perdu du temps pour nettoyer Courseulles. Les Allemands s'étaient retranchés dans les maisons en ruine autour du port. Ceux du Regina avaient dû nettoyer les tranchées et les tunnels, éliminer les tireurs cachés dans des trous. Les engins du génie n'ont pu dégager toutes les mines sur la crête des dunes, vers Graye. Entre Courseulles et Bernières, sur un peu plus de deux mille mètres, plus de quatorze mille ont été enfouies. Elles étaient plus nombreuses encore entre Courseulles et Ver.

— Un massacre, dit Serge. Combien de Canadiens ont sauté sur ces mines?

119

— Moins que pour l'opération de Dieppe, deux ans plus tôt, où ils sont presque tous morts.

— Les Canadiens et les Écossais, dit Georges, ont été la chair à canon de l'armée de Sa Gracieuse Majesté. En 44 comme en 17. Ils étaient à Vimy. On les a retrouvés à Courseulles. Toujours prêts pour les pires assauts. Des bûcherons, des rouliers de la Prairie. Beaucoup d'Écossais d'origine, parmi eux, qui avaient quitté leurs taudis ou leurs terres ruinées par le déboisement pour partir au Canada.

Jean-Philippe s'étonne de l'étendue des connaissances de Georges. Comment un chaudronnier d'usine peut-il savoir tout cela ?

— Maxime vous l'expliquera, dit-il, sa mère est canadienne et son père italien. Les Écossais qui ont pris les bateaux de l'émigration avaient l'espoir de constituer, sur le sol libre de la Prairie, les communautés d'un « empire de la classe ouvrière ». Leurs leaders assuraient que cela était possible. Ils ont été balayés par les sociétés de colonisation.

— Exact, dit Maxime. Ma mère a dû rentrer en Europe : trop de misère, pendant la crise de 29. Elle a rencontré mon père à Londres, qui fuyait l'Italie fasciste du Duce.

— Depuis quand sont-ils en France ? demande Jean-Philippe.

— Quinze ans peut-être. Londres était encore pire que Winnipeg. Ils mangeaient à l'Armée du Salut. Ils sont passés en France, pour travailler aux nouvelles usines d'aviation que le Front populaire avait ouvertes.

— Tous les Canadiens ne venaient pas d'Écosse, dit Gilbert. Ils étaient aussi anglais.

— Au régiment de North Shore, qui a débarqué plus à l'est, dit Maxime. Les Anglais étaient aussi nombreux dans le régiment de la Reine. Mais ceux du Regina et du Winnipeg qui sont venus mourir ici étaient des hommes de la Prairie, de toutes origines. Ceux du régiment de la Chaudière, qui venaient en renfort, étaient des Français du Québec. Ici, les Anglais étaient en minorité. Pas de doute. Un vrai bateau français, de la marine gaulliste, les escortait depuis l'Angleterre.

— Des types jeunes, pleins de force, dit Georges, qu'attendaient des Allemands de moins de dix-huit ans ou de plus de trente-cinq ans, dont certains avaient eu les pieds gelés sur le front de l'Est. A la guerre, c'est toujours mieux de savoir se battre. Les Allemands de Courseulles étaient les derniers éléments d'une armée fatiguée, d'un pays saigné à blanc par Hitler.

— Mais les Anglais ? dit Jean-Philippe, excédé par cet éloge excessif des Canadiens.

— Les Anglais ? Sur les bateaux. Dans les avions. Plus tard dans les chars. Ceux qui marchaient étaient écossais ou canadiens.

— Tu débloques, dit Serge : deux divisions d'Anglais se sont fait matraquer à Gold Beach et à Sword Beach.

— Je ne parlais que de Courseulles, dit Georges, qui n'aime pas perdre la face.

Gilbert n'a pas entendu la fin de cette homélie guerrière. Il vient d'apercevoir sur la jetée deux filles à bicyclette, l'une brune et l'autre blonde, qui descendent la côte du Pasty-Ver. Il part en courant pour les suivre, jetant à terre la canadienne fourrée de Maxime.

Sur la place, c'est déjà l'affluence. Des couples à bicyclette arrivent des villages de l'intérieur, une fleur tricolore à la boutonnière, vendue au profit des familles de résistants disparus au combat. Un orchestre américain accompagne des chanteurs de negro-spirituals en uniforme, venus de Caen ou de Lisieux à la demande de la municipalité pour associer les Alliés à la fête nationale. Pas de Canadiens. Ils étaient là le 18 juin, ils ne reviendront pas avant l'année prochaine. Le patron de la Grande-Marée installe des lampions sur le carré de bitume défoncé recouvert de lattes de sapin, devant son restaurant. Il a disposé des tables ornées de fleurs où commencent à s'installer les gens de la campagne, endimanchés et cérémonieux. Les hommes ont revêtu les vestons d'avant guerre, qui craquent aux entournures. Seules les femmes ont des robes qui semblent neuves. On en coud encore, les soirs d'hiver, en utilisant les patrons de *La Veillée des chaumières*. Quelques Parisiens se reconnaissent dans la foule à leur mine pâle, à leurs chemises de vacanciers qui sentent la naphtaline. Ils arrivent tout juste de la capitale, pour les congés d'été. Ceux-là ont loué des chambres au petit hôtel de Paris, qui consent des prix à la journée. Ils arborent des Kodak à soufflet et prennent en photo les épaves sur le port. Les premiers touristes.

Sur la plage bondée, chacun cherche un endroit sûr, à l'abri de la marée, pour pique-niquer en attendant le feu d'artifice. Ils s'installent, au centre de murailles de sacs bourrés de provisions, étendent sur le sol des toiles imperméables et débouchent sans plus attendre le cidre de l'amitié qu'ils boivent entre eux, au goulot. Des pêcheurs tirent des barques vers la mer, pour placer des fusées de feu d'artifice sur les épaves des navires coulés sur les fonds de rochers. Des pompiers casqués les accompagnent, éloignant de leur mieux les myriades d'enfants qui se pressent autour des caisses d'explosifs.

Daisy et Thérèse n'ont pu poursuivre leur route à bicyclette. Elles ont rangé leurs montures au garage de l'hôtel de Paris, traversant la foule dans la direction du parc à huîtres. Une jeep stationne devant le petit restaurant où les amateurs de fruits de mer n'attendent pas l'heure du repas pour se jeter sur les clovisses ou les crabes de la marée. Jimmy l'Américain attend patiemment Daisy, accompagné de deux officiers venus de Carpiquet, qui se lèvent pour accueillir les filles. Le polytechnicien n'est pas de la partie. Boude-t-il les fêtes républicaines ? A-t-il conscience d'exaspérer Thérèse par ses assiduités ? A-t-il jugé préférable, pour faire sa cour, de prendre du champ, d'éviter de la rencontrer dans des agapes populacières où il n'est guère à son avantage ?

Thérèse ne remarque pas son absence. En revanche, elle est outrée que sa sœur l'ait attirée dans ce guet-apens de GI en goguette. Elle ne comprend pas pourquoi Daisy veut à tout prix partir pour New York, au point de parer de toutes les qualités ce grand garçon roux qui consentait un minimum d'efforts pour se rendre aimable. Il doit lire des *comics*, le soir, dans sa chambre, se dit-elle avec dégoût. Le yankee ne manque cependant pas de charme. Il porte bien la veste cintrée, n'affiche pas le débraillé démocratique des soldats français qui déambulent en chemise, le col ouvert sous la cravate. Il sourit sans cesse et ses traits réguliers, irréprochables, semblent figés, comme s'il ne pouvait jamais rire, crier, pleurer. Une image de mode, se dit-elle. Il doit être parfait à la plage, quand il fait admirer sa musculature.

Elle le soupçonne d'avoir toujours dans ses bagages des petits haltères pour entretenir sa forme au réveil. Le soir, il lit peut-être la Bible pour s'endormir. Elle rit de son visage lisse, parfaitement rasé. Ainsi les anciens Romains épataient-ils les Gaulois, lui avait dit son professeur de latin. Cet Américain n'était pas vulgaire, il était seulement américain.

Pas plus que ses amis, il ne fume ni ne mâche de la pâte de caoutchouc. Ils sont, à l'évidence, de la côte Est et devaient disputer, l'été, des régates. Peut-être montaient-ils à cheval, comme les officiers allemands avant le Débarquement. Sans doute considéraient-ils une approche trop directe des filles comme inconvenante, à moins qu'ils ne soient gênés par l'obstacle de la langue. Ils n'adressent pas la parole à Thérèse, se contentant de sourire en lui offrant des rafraîchissements. Aucun ne

commandait de crustacés. Ils avaient choisi l'endroit
parce qu'il était légèrement à l'écart de la fête. Ils se
réservent pour plus tard, se dit-elle. Ils sont sûrs de leur
fait et ne se pressent pas. Pourquoi une Française leur
résisterait-elle ? Sans doute se tenaient-ils disponibles pour
d'autres rencontres. Rien ne pressait. Au reste, quelle
importance ? Daisy se fait des illusions, se dit Thérèse en
lorgnant sa sœur, ces gens sont des étrangers. Ils considèrent ce qui n'est pas américain comme de peu de prix. Ils
ne font aucune différence entre les classes de la société
française. Même s'ils avaient été des libérateurs — et
ceux-là étaient arrivés en France longtemps après les
premiers combats —, ils restaient des occupants.

Roulée en boule dans son fauteuil, les jambes repliées de
façon peu convenable sur le siège, Thérèse ne soufflait mot
et regardait le large. Une fusée jaillit vers le ciel. Les
pompiers faisaient des essais. Pas un muscle ne frémit sur
le visage de son voisin. Cette fête de *natives* lui semblait
d'une déconcertante banalité. Attendait-il l'heure du bal
pour se donner du mouvement ? Daisy papotait, riait trop
fort, lançait des phrases que Jimmy tentait de comprendre
sur le pittoresque des plages normandes qui depuis la
Libération, étaient peuplées de gens bizarres, qui
n'avaient jamais vu la mer. Elle chantait des bribes d'airs
de jazz à la mode, qu'elle apprenait toute la journée en
faisant hurler son gramophone. Des disques en cire que lui
donnait l'Américain. Elle lui demandait sans cesse des
enregistrements de La Nouvelle-Orléans, ce qui l'excé-
dait. Il ne connaissait que les grands orchestres de New
York, ou ceux des films de Hollywood. Pourquoi les
Français étaient-ils tous entichés, les Parisiens surtout, de
ces vieux airs du Sud ?

Thérèse lasse d'entendre l'affligeant monologue de sa
sœur se lève soudain et s'éloigne sans prévenir. Elle vient
d'apercevoir la silhouette dégingandée du polytechnicien,
qui marche à grandes enjambées sur la digue. Son

pantalon blanc trop large flotte au vent. Il a revêtu un ample blazer bleu marine qui tombe aux genoux.

Thérèse file par-derrière, gagnant à pas rapides la rive de la Seulles. Les badauds nombreux devant le parc à huîtres masquent sa fuite. Quand sa sœur s'aperçoit de son absence, elle a déjà disparu.

Émile l'a vue pourtant. Il la poursuit en courant. Elle lui échappe en s'engageant, hors d'haleine, sur le pont jeté par le génie britannique sur la Seulles. Le quartier est désert. Une voiture à âne, où l'on charge des crustacés dans les bourriches, pour le repas du soir. Les gens du cru interrompent un instant leur travail pour regarder passer Thérèse qui se dirige vers la mer. Le regard de ces hommes jeunes l'indispose. Elle ne veut pas se mêler à la fête, pour ne pas être obligée de danser, le soir, avec des inconnus. Elle n'aime pas les bals populaires.

Elle entend d'ici Daisy expliquer aux Américains dans son anglais approximatif que sa sœur est une sauvageonne aux lubies imprévisibles. Émile a grand tort de la poursuivre. Il ne pourra jamais la rejoindre. Reviendra-t-elle ? Elle en doute. Elle se sent capable de disparaître pour plusieurs jours. Comment a-t-elle pu traduire en anglais « fugueuse » ? se demande en souriant Thérèse.

Elle est bien décidée à disparaître, sans avoir la moindre idée d'une retraite possible. A pied, elle ne peut aller loin. Il n'est pas question de retrouver sa bicyclette, il faudrait fendre la foule, risquer de fâcheuses rencontres. Les fêtards lui font peur, surtout les buveurs de cidre. La mer, peut-être... Quelle joie d'embarquer sur un yacht, avec un marin qui ne poserait pas de questions ! Elle pourrait traverser la Manche, débarquer, comme les anciens Normands, sur les rives de la Tamise. Un pêcheur se prépare à partir, son embarcation lourdement chargée de filets. Si elle était un garçon, elle lui demanderait d'embarquer. Quelle infirmité de porter une robe !

Elle marche d'un pas décidé vers la mer. Un méandre de la Seulles l'arrête. Un instant de panique. Faut-il repartir en arrière ? Courir le risque de rencontrer Émile ? Elle se calme en songeant qu'il se décourage vite. Il est sans doute attablé avec les autres, attendant l'heure du bal en rongeant le tuyau de cette pipe écossaise qu'il fume pour se donner une contenance et qui lui donne l'allure d'un étudiant anglais. Une écluse la tire d'affaire. Elle la franchit d'un pas léger, comme si cet obstacle la séparait définitivement de la foule. Ayant passé la frontière, elle se trouve enfin sur le rivage, le long d'une jetée qui relie deux blockhaus allemands.

Elle vient d'entrer, sans le savoir, dans le royaume interdit de Richard. Elle s'aperçoit vite, aux panneaux qui signalent les champs de mines, du danger qu'il y a à poursuivre sa promenade vers l'ouest. Thérèse n'a pas le goût du risque, elle se détourne aussitôt pour rejoindre le rivage, marchant le long de la jetée déserte vers l'autre blockhaus. Il est près de sept heures. On allume les balises qui marquent le débouché de la Seulles. La marée basse fait apparaître à quelque distance les pointes du rocher Germain, recouvertes par le ressac, et qui soulèvent à intervalles réguliers une crête blanche. Elle a soudain envie de se baigner sur le rivage uniforme. Qui pourrait la surprendre, nue, dans le crépuscule qui s'annonce ? Il faut patienter, se dit-elle. Le ciel est encore trop clair. Dans deux heures, peut-être, à partir de la pointe extrême de l'estuaire. Elle pourra se hisser sur le toit du fortin, pour assister de loin à la fête, sans risquer de s'y perdre.

En contournant l'ouvrage, elle aperçoit une échelle de ferraille et se hâte de grimper. La vue est sublime, elle aperçoit la ville à ses pieds, éclairée par les lampions. Au large, vers le port, des poteaux surmontés de fusées emmaillotées sont dressés sur les épaves. Dès la nuit tombée, les Normands s'ébaudiront du feu grégeois, impatients de renouer la chaîne des traditions populaires. Quelle jouissance d'assister à tout sans rien avoir à subir !

En se penchant le long de la façade du blockaus, elle distingue dans une embrasure un garçon aux cheveux blonds lourdement chargé. C'est Richard, qui l'aperçoit au même moment. Il jette son sac, part à sa poursuite en contournant l'ouvrage. Elle descend prestement par l'échelle, il la cueille sur le sable.

— Que faites-vous ici ? lui dit-il dans un souffle.

Terrorisée par la pointe d'accent étranger qu'elle ne peut identifier et surtout par le regard halluciné de l'homme, elle reste muette.

— Vous êtes en zone dangereuse, lui dit-il. Mines !

Très étonnée, elle se retourne vers l'estuaire. L'autre partie de la plage, autour du Pasty, est interdite au public. Pas celle-ci. Les bateaux circulent dans la rivière. Thérèse n'a pas remarqué la moindre pancarte. Mais il ne lui laisse pas le temps de réfléchir : elle est entraînée à l'intérieur de la casemate.

— Restez là. Je vous raccompagnerai.

Quand il sourit, son visage s'éclaire. Les yeux de diamants bleus s'adoucissent, deviennent émouvants. Les fossettes qui creusent les joues déjà burinées, les cheveux en désordre qui enlèvent au front très haut son inquiétante majesté engagent à l'indulgence.

Il n'est pas, à coup sûr, un de ces prisonniers qu'on emploie au déminage. Il est seul, libre, décidé. Que peut-il manigancer dans une casemate isolée, le soir du 14 Juillet ? Thérèse sourit. Elle se souvient des cordons de fusées sur les épaves.

— Feu d'artifice..., lui dit-elle en détachant les mots, pour être mieux comprise d'un étranger.

— Oui, oui, dit-il gravement. Très beau feu d'artifice. Attendez-moi ici, dans l'espace réservé au combat. Surveillez bien les environs. S'il vient quelqu'un, prévenez-moi.

Il descend les marches de la salle des munitions, fermée par une trappe de fer qui n'a pas été violée. Elle est condamnée par un cadenas de quincaillerie, de pose récente. Un de ces cadenas qui s'ouvrent quand on compose une série de chiffres ou de lettres en faisant rouler entre les doigts, comme la roue crantée d'un coffre de banque, la molette imprimée. La porte s'ouvre. Thérèse ne résiste pas. Elle le laisse entrer, traînant son sac. Puis elle le suit, se tenant en dehors de la pièce, risquant seulement un œil dans la salle des munitions.

Ce qu'elle voit la stupéfie. L'inconnu ouvre des caisses de fer remplies de balles de fusil et de mitraillette, de grenades à manche et de mines. Il dispose ce trésor de guerre sur des sacs de pommes de terre étendus à même le sol et imprégnés d'essence. Il est clair que l'étranger a l'intention de faire sauter le bunker.

Toute la Côte de Nacre s'est rassemblée à Courseulles sur la plage, plus encombrée que le jour du Débarquement : la foule, qui n'est pas venue de la mer, ondule par un mouvement progressif des terres vers le rivage. Les pompiers ont disposé des palissades et des cordages pour empêcher les gens d'avancer vers les pieux fichés dans le sable qui soutiennent les guirlandes de pétards, comme jadis les « asperges » de Rommel. Il est naturellement interdit d'accéder aux rochers ensablés.

Pour attendre le soir, les « foulards rouges » ont organisé une partie de volley-ball devant leur camping. Les flonflons des orchestres arrivent jusque-là. Jean-Philippe et Serge ont accepté d'entrer dans le jeu. Le spectacle de Georges, torse nu, étalant sa musculature bronzée, frappant la balle avec force, reprenant des coups désespérés, engageant des débuts de partie au canon, provoque les hourras de l'assistance. Les joueurs sont entourés d'une haie dense de supporters et ne distinguent plus ni la digue ni le rivage ni les alentours immédiats du camping. Tout en lançant la balle, Georges s'en inquiète, et ne perd pas les tentes de vue. Un nouveau coup de main du terroriste fou reste possible.

Serge également, aux aguets, cherche Gilbert des yeux. Il se reproche de l'avoir laissé partir seul. Ce gosse attire la foudre. Depuis le début du voyage il accumule les incidents, les accidents. Sans le vouloir, avec sa sotte obstination. Pourquoi court-il derrière une fille qui, manifestement, ne veut pas de lui ?

Il respire quand il reconnaît leur compagnon qui se fraie un passage dans la foule et pénètre sur le terrain de volley.

— A l'arrière, lui crie Georges, bouge pas !

Il se fait bousculer violemment par les joueurs, roule à terre, se relève, tente de redresser la balle qui lui arrive droit dessus, manque son coup sous les huées du public.

— Va garder la tente, lui glisse Serge à l'oreille, et préviens-moi au moindre danger.

Il se retire aussitôt, suivi des yeux par Georges. Pour une raison mystérieuse, Gilbert incarne pour lui la chèvre de Monsieur Seguin. Le garçon n'a pourtant qu'une envie : repartir à la recherche de sa Thérèse-Clélia, disparue devant le front de mer. A force de patrouiller dans la ville, il a fini par retrouver la sœur, Daisy, attablée seule avec des Américains. Gilbert a fouillé les rues avoisinantes, traversé plusieurs fois la Seulles sans oser les aborder puis il est rentré au campement, désespéré. Dans cette foule, il était impossible de la retrouver. Le seul parti à prendre était de s'en remettre au hasard.

Le ballon de volley, projeté par Georges, le frappe en plein visage. Le public se retourne, éclate de rire. Le serveur-canon peut tuer, même à longue portée.

— C'est la grosse Bertha, ce gars-là, dit un Normand éméché.

Georges est déjà près de Gilbert, lui massant la nuque avec énergie.

— Respire très fort. Lève les bras. Reprends ton souffle à fond. Ne touche pas la tête. Ne la bouge pas. Il se passe quelque chose dans le bunker d'en face... Il est là. Je viens de le voir. Il est sorti avec une femme. Non, ne regarde pas... Je te ferai signe en temps voulu. Je vais avertir les autres.

Gilbert, posément, passe son pantalon de velours et ses chaussures de route. Il enfile un épais pull-over, comme s'il devait passer la nuit en mer. Georges revient vers lui.

— Ne pars surtout pas seul. Les camarades du Havre ont parlé. Ils connaissent ta danseuse. C'est la femme d'un *Hauptmann*, un capitaine de la Charlemagne. Aucun doute. Sa photo que voici a été publiée dans *La Marseillaise*.

Gilbert ne peut récuser cette preuve. Il reconnaît distinctement la femme blonde au costume de cuir. Le front légèrement bombé, les oreilles fines, le cou élancé.

— Pourquoi se sont-ils séparés si vite, hier, avec Richard ?

— Nous n'en savons rien. Il est clair qu'ils sont en rapport. Elle est rentrée au Havre. Celle qui est avec lui sur le bunker est une autre fille.

Georges retourne au jeu, pour peu de temps. Le soir tombe sur la plage qui n'est pas éclairée et les spectateurs du match se rapprochent du front de mer pour assister au feu d'artifice. On aperçoit, sur la digue, la voiture des pompiers, qui s'engage sur le sable. Ses projecteurs puissants sont dirigés vers le rivage. Le spectacle est prêt.

— Suis-nous, dit Georges. Nous allons les surprendre.

Les « foulards rouges », en file, fendent la foule pour se rapprocher de la jetée. Impossible d'aborder le blockhaus sans franchir le pont du parc à huîtres. Jean-Philippe et Serge s'arrêtent à hauteur de la Grande-Marée.

Ils n'ont aucune raison de poursuivre, car les « foulards rouges » ne les ont pas mis dans la confidence. Gilbert ne lâche pas Georges, qui est en tête. Ils passent rapidement sur l'autre rive et abordent l'écluse. Le bruit de la fête leur parvient assourdi. Ils distinguent dans la pénombre une silhouette qui amarre une barque de pêche. C'est leur ami pêcheur qui leur fait signe. Gilbert reconnaît le guide du champ de bataille, si disert sur l'avancée des Canadiens.

— Prenez garde, dit-il, Richard est armé.

Le pêcheur a revêtu une casquette de soldat américain. La poche de son caban est gonflée. Il doit y cacher un pistolet. Gilbert prend peur. Va-t-on le mêler à une opération de commando? Sa lâcheté naturelle revient au galop. Il se souvient du pont de singes du fort de Verrières, où le grand chef scout l'obligeait à s'engager. Ceux-là sont de la même étoffe. Pourquoi veut-on toujours le contraindre à faire la guerre? Georges rassure Gilbert : le pêcheur est un informateur, un camarade. Les réseaux d'antan se poursuivent après la paix, la Résistance n'a pas baissé son rideau de fer. On joue toujours à la guerre secrète. Gilbert, qui cherche désormais à battre en retraite, estime tout à fait insupportable d'être engagé, malgré lui, dans une action qui ne le concerne en rien.

— Est-il encore là? Tu es sûr?

Le pêcheur grimpe sur le quai et aide Georges à le rejoindre.

— Baisse-toi, lui dit-il, et regarde attentivement la meurtrière. Vois-tu la lumière? Je ne sais pas ce qu'il prépare. Mais je n'en attends rien de bon.

L'homme a contourné le bunker pour dérouler, du côté de la Platine, un cordeau Bickford. Il est ensuite rentré par l'ouverture de la façade, toujours suivi par Thérèse qui n'ose prendre la fuite. Il lui a fait peur, avec les mines. Elle ne peut partir qu'avec lui. Elle est convaincue désormais qu'il n'est pas un artificier engagé par la mairie. Pourquoi chercherait-il à faire sauter un stock d'armes un soir de feu d'artifice? Elle a vu les caisses vidées sur le sol, les préparatifs, la mise en place du système de destruction. Elle tente de se rassurer elle-même. Un homme qui fait sauter un dépôt d'armes n'est pas un trafiquant; tout au plus, un de ces agents secrets dont on parle dans les journaux. Elle trouve seulement étrange qu'il choisisse un soir de 14 Juillet pour exercer ses talents.

Partagée entre la peur et le goût de l'imprévu, arrachée à sa persistante mélancolie, elle vit intensément ces heures irréelles. Tout n'est-il pas préférable à une soirée en compagnie des amis de Daisy?

C'est trop peu dire que ce garçon l'étonne. Il n'a pas la moindre hésitation dans les gestes, sa maîtrise est impressionnante. Il manie les mines et les grenades comme s'il étalait des œufs de poule sur le marché. Il danse sur les caisses de munitions, sans aucune crainte. A peine jette-t-il un œil, par la meurtrière, du côté de la plage. Il rit alors très fort, comme s'il préparait une bonne plaisanterie. Thérèse l'aiderait sans doute, s'il le lui demandait.

— Ils vont être joliment surpris quand ils entendront chanter mes œufs de Pâques, dit-il seulement.

Il n'a pas besoin d'elle. Son travail est si facile. Il n'est pas gêné par sa présence, amusé plutôt. Il lui lance des sourires complices. Quelle bonne blague! Il retourne dans la chambre des munitions pour y disposer des petits pains de plastic, sous les sacs. Thérèse, cette fois, l'accompagne. Il ne songe pas à l'éloigner. Elle lui arrache des mains un morceau de pâte.

— Ce n'est pas du dentifrice, dit-il. Prenez garde.

Sur les bancs de la maternelle, elle modelait ainsi la glaise. Elle prend un pain dans ses mains. Il ne pèse pas lourd, pas plus d'une livre.

— On dirait du mastic, dit-elle.

— Celui-là brise les vitres.

Elle modèle un cœur, qu'elle lui tend. Il la dévisage.

— N'avez-vous pas peur ? Cela saute très fort.

— Non, dit-elle. Vous n'êtes pas effrayé, pourquoi le serais-je ?

Ses yeux ombrés de longs cils sont parfaitement calmes. Il braque sa lampe sur son visage, perd de précieuses secondes à admirer la courbe parfaite de ses lèvres. Il ne résiste pas au désir de l'embrasser. Elle n'a pas un geste de recul.

— Comment t'appelles-tu ? demande-t-il en retournant à ses pains de plastic.

— Thérèse.

— Eh bien, Thérèse, tu vas m'attendre sagement dans l'entrée, le temps que je dispose ce fil à l'extérieur. Je reviendrai te chercher et nous partirons ensemble. As-tu confiance en moi ?

Il n'a nulle crainte, et pas le moindre soupçon, se dit-elle. Elle est surprise d'être confrontée à l'un de ces personnages de roman qui ont décidé une fois pour toutes de passer leur vie à autre chose qu'à haïr et à craindre.

— C'est l'affaire d'un instant, lui dit-il en la serrant dans ses bras pour déposer de nouveau sur ses lèvres un baiser.

Est-ce le fait de son extrême jeunesse ? Cet homme qui vient d'entrer dans sa vie la fascine et éveille en elle des sentiments extrêmes. Elle comprend d'un coup ses réticences devant les garçons de son âge, ses brèves flambées de désir aussitôt déçues, son incorrigible mélancolie. Il me suffira de penser à lui, se dit-elle, pour ne plus jamais être triste. J'aurai vécu cette extraordinaire rencontre.

Les vingt secondes que durent son absence lui semblent une éternité. Non qu'elle craigne d'être abandonnée dans le bunker. Elle n'a, sur ce chapitre, aucune inquiétude : celui qui vient d'entrer dans sa vie, non par effraction mais avec la douceur d'une sorte de visitation, ne peut lui vouloir de mal. Elle se sent seulement solitaire, en cet instant d'intense émotion. Ne plus le savoir à ses côtés est une douleur... Pourra-t-elle s'en passer, désormais ? Oui, sans doute. D'aussi purs moments de ferveur ne se prolongent guère. Il passera, et la laissera, comme Ariane, sur la grève.

Changée en statue, elle attend qu'il lui rende la vie, la chaleur, le mouvement.

— Vite, dit-il, tout va sauter.

Le cordeau Bickford se consume déjà, avec une sage lenteur. Il la prend par la main, pour l'entraîner à perdre haleine à l'abri de la digue qui conduit, vers l'ouest, au second bunker. Ils ne voient rien des lumières de la ville, des feux allumés sur la plage, des fusées qui montent au ciel dans un bruit assourdissant, des pétarades innombrables, des roues lumineuses, des étoiles filantes.

On entendit à peine, dans ce vacarme, les explosions des cartouches et des grenades à l'intérieur du fortin. Les pompiers remarquèrent la lumière et la fumée qui en sortaient. Le public pensa que l'illumination du blockhaus faisait partie de la fête. Au pied de l'ouvrage, Georges avait donné l'ordre à ses proches de se jeter à terre. Gilbert seul n'obéit pas : il venait d'apercevoir Clélia enlevée par Merlin l'Enchanteur.

Chapitre 6

L'aigle noir est dans son aire

— IL Y A conseil de guerre chez les Faucons rouges, dit Serge à mi-voix, quittant le campement de la plage pour retourner aux Corfolands.

Jean-Philippe l'accompagne.

— Dois-je te répéter que les Faucons sont socialistes ! Ceux-là n'en sont pas. Ils ont la foi des Brigades rouges, celles des communistes de la guerre d'Espagne.

— Gilbert est des leurs, désormais. Il ne reviendra plus chez nous.

— Tu ne peux rien pour lui, laisse-le vivre selon son désir.

Gilbert les voit partir avec regret. Sans doute se promet-il de les rejoindre. Mais le moyen de quitter Georges, alors qu'il est son seul recours contre le prédateur ! Il l'a enlevée, se dit-il, droguée peut-être ! Elle a sauté avec lui dans les vagues pour se hisser sur le dinghy. Ils ont disparu dans les flots, comme le Hollandais Skaggerak dans Wagner.

Il a suivi longtemps des yeux le frêle esquif qui s'est fondu dans le brouillard, pour rejoindre le Vaisseau fantôme. On joue Wagner à Lyon, se dit-il brusquement. Elle l'aura pris pour Skaggerak sortant des flots un jour tous les sept ans pour chercher la femme de sa vie. Il l'a

135

trouvée : Santa, la fiancée d'Erik. Le pauvre Erik ne pèse pas lourd. Il peut mourir seul, abandonné. Hélas, c'est eux qui vont mourir.

Il fredonne l'air de l'ouverture du *Vaisseau fantôme,* mélodie plaintive comme une corne de brume dans la tempête. Comment n'aurait-elle pas été séduite par le Hollandais fou ? Il n'a eu aucun mal à l'enlever. Elle l'attendait de toute éternité. Le voilà pris par la mélancolie. Il est le Desdichado de Nerval, le « prince d'Aquitaine à la tour abolie ». A quoi bon regarder désormais le ciel ? Sa « seule étoile est morte ». A-t-il seulement goûté au « baiser de la reine » ? Il n'est ni Amour, ni Phébus, rien qu'un vagabond du « soleil noir » incapable de défendre ses rêves. Ils sont emportés au premier vent.

Est-il réellement accablé par l'évidence de sa disgrâce ? Erik l'était-il quand s'est levée la tempête ? Peut-il souhaiter leur mort ? Pourquoi lui serait-elle fidèle, alors qu'elle ne s'est jamais donnée à lui ? Ils ont joué ensemble, dans le rond des fées. Revenons sur terre, se dit-il, laissons là les oripeaux du Vaisseau fantôme ?

— Qui est cette seconde femme ? demande Georges. Elle ne ressemble pas à la première. Plus jeune, plus légère. Elle courait aussi vite que lui. Elle avait sans doute des sandales et s'était préparée pour l'action. Une complice, à n'en pas douter.

Ces paroles meurtrissent le cœur de Gilbert. Georges a toujours raison. Les autres ne voulaient pas le croire, quand il parlait des relations de cet individu avec une organisation nazie. « C'est la bande de l'aigle noir, disait-il encore. Ils sont nombreux à se cacher dans l'aire. Des vieux, et des plus jeunes. »

Le feu d'artifice aux grenades est la preuve que le terroriste est relié à un réseau.

— Le but de l'opération m'échappe, dit Georges. Mais son incroyable hardiesse montre qu'il a assuré ses arrières. Il n'est pas suicidaire au point de mettre feu à la ville sans savoir où se cacher.

Hélas, Georges doit avoir raison sur toute la ligne. La jeune fille doit faire partie d'un réseau de fascistes lyonnais. Elle connaît Richard de longue date. Elle le rencontrait peut-être régulièrement sur la plage. Agent de liaison, de renseignements ? Les récits de guerre regorgent d'héroïnes qui n'avaient pas dix-huit ans. Pourquoi celle-ci n'aurait-elle pas été engagée dans ce combat douteux de l'après-guerre ? Georges soupçonne même les Américains, amis de Daisy, de complicité avec ce réseau.

Pourtant, Gilbert ne répond rien à la question du chef des Jeunes Gardes. Il ne dit pas qu'il connaît la jeune fille. Il est lui-même étonné de sa réserve. Croit-il encore à son innocence ?

— Je ne l'ai pas reconnue, dit-il. Elle courait dans la brume du soir. Je n'ai pu voir son visage.

— C'est pourtant quelqu'un d'ici. J'en mettrais ma main au feu.

Maxime attise la braise du feu de bois en tirant sur sa pipe avec componction. Il est l'intellectuel du groupe et ne se départit jamais d'une certaine gravité, pour donner plus de poids à ses propos.

— Il me semble que tu conclus bien vite à la complicité de cette fille, dit-il. Tous les témoignages donnent ce Richard pour un homme seul, qui tire profit de sa solitude. Il a pu rencontrer un témoin gênant et lui faire peur.

— Il s'en serait débarrassé.

— Ce n'est pas un tueur. Il pense que la petite sera trop effrayée pour parler à quiconque. Elle doit être, de plus, assez fière d'avoir été mêlée à une action terroriste. Tu juges trop vite. Sois patient.

Gilbert est partagé entre son nouveau songe et la réalité qui semble éclairer le ciel de couleurs pimpantes. Il était entré dans la peau d'Erik, la victime du Hollandais. L'innocence de la fille le trouble. Comment a-t-on pu la convaincre si facilement de renoncer à toute résistance, de suivre aveuglément un ravisseur ? Ainsi font les enfants lors des kidnappings. Ils ne se débattent pas. Clélia est-elle une enfant ? Il sait qu'il n'en est rien. Que le Hollandais la rejette ensuite ne l'empêche pas de l'avoir séduite. Même si Gilbert la revoit, elle sera plus muette que jamais. Il l'a perdue, de toute façon.

— Le vrai problème, lance Maxime, est de savoir pourquoi la femme venue du Havre a rompu avec Richard, au point de le pousser à cette action violente contre le camp de nos voisins.

Gilbert est visé par ce propos. On attend qu'il s'explique.

La réaction destructrice de Richard reste pour Gilbert une énigme qu'il ne tente pas d'élucider, elle n'entre pas dans ses priorités. Retrouver Clélia reste son unique objectif. La présence de cette danseuse inconnue était pure distraction.

On le presse de questions. Il est sommé de se rappeler les plus infimes détails, des bribes de phrases qui pourraient déboucher sur une piste. Que lui a-t-il dit qui ait pu provoquer la colère de Richard ?

— Tout vient d'elle, tranche Georges. Gilbert ne disposait d'aucune information susceptible d'amorcer une querelle. Elle a monté de toutes pièces une accusation grave, où Gilbert était mêlé.

— Nous ne le saurons jamais.

— Qui sait, elle a pu le faire passer pour un agent de l'organisation chargé de surveiller Richard, de l'approcher, de contrôler ses trafics. N'oubliez pas qu'il a offert une participation à Serge.

— Qui l'a refusée, dit vivement Gilbert.

— Ce qu'il a proposé à Serge, il a pu en parler à d'autres. L'organisation ne veut pas de ventes d'armes qu'elle ne contrôle pas. Elle entend se réserver l'exclusivité des moyens.

— En ce cas, dit Georges, ce n'était pas Gilbert, mais Serge, qui était visé. Il aura bavardé en ville.

— Serge est le garçon le plus secret que je connaisse, dit Gilbert.

— On l'aura fait parler.

— Le plus urgent, conclut Georges, est de retrouver la fille. Je suis convaincu qu'il s'en est débarrassé.

Pendant un quart d'heure, Thérèse a pu se prendre pour la Santa du *Vaisseau fantôme*. Grisée par les vagues, elle glissait sur la mer, blottie contre son héros. La nuit sans lune ajoutait à l'émotion. On n'entendait plus que le bruit des vagues, les rumeurs de Courseulles avaient disparu dans le lointain. Thérèse se croyait partie pour l'Armorique, au pays des druides et des saints ermites qui l'auraient mariée à son marin.

Au large de la Platine, il avait viré à bâbord pour revenir au rivage. Porté par le courant, le dinghy s'était rapidement échoué sur la plage où, deux ans plus tôt, avaient débarqué les fusiliers du régiment de la princesse Louise. Richard avait pris Thérèse dans ses bras pour la déposer dans une barque de pêcheur échouée sur la grève.

— Nous nous reverrons peut-être, avait-il dit. Ce qui me reste à faire ne concerne pas une enfant.

Il était reparti en silence, gagnant aussitôt le large. Elle n'avait pas cherché à le retenir et s'était endormie sur les filets de pêche. La fraîcheur de l'aube l'avait réveillée. Elle venait de réaliser un rêve, dormir en pleine nature, une plage, une grange, une bergerie, une meule de paille. Au grand siècle, elle aurait volontiers gardé les moutons, donnant au pipeau la réponse à d'autres bergers perdus dans les alpages. La solitude lui faisait éprouver sa jeune liberté. Les murs des maisons lui pesaient, sans doute en raison de sa stricte éducation bourgeoise. Pendant toute sa jeunesse, elle avait été enfermée, pensionnaire dans des institutions religieuses, victime, dans sa famille, de la tutelle étroite de sa mère, de la surveillance insupportable de sa sœur. L'absence de père lui avait rendu le foyer odieux. Elle ne rêvait que d'évasion.

On marchait sur la grève, des pas lourds de marins pêcheurs. Des bribes de conversation arrivaient à ses oreilles.

— Je le sais de source sûre. Il travaille...

— Ta source, je la connais... le grand diable en short qui a l'air d'un boy-scout.

A la hâte, elle se laissa tomber hors de la barque, à l'abri d'une pile de cordages. Elle ne voulait pas être surprise. Ils s'étonneraient, sans doute, de trouver sur la plage déserte une sirène échouée. Ils en parleraient en ville. Elle serait tenue pour complice du grand blond. On la ferait parler.

— Ce type ne sait rien. Il t'aura dit des bêtises.

— Que non! Richard voulait l'utiliser pour démonter le canon.

— Un canon qui n'a pas tiré depuis deux ans. Il est rouillé, mangé aux mites. Il part en quenouille.

— Les ferrailleurs en auraient donné un bon prix. Ou les collectionneurs. Il y a des mabouls pour ce genre d'occasions. Tu ne te rappelles pas les acheteurs de tanks? Les paysans te diront que cela rapportait plus que le blé.

— Le canon est toujours en place.

— Pour sûr, l'autre a refusé. Mais il m'a tout raconté. Il voulait savoir si on pouvait lui faire confiance.

— Quel naïf!

— C'est un gosse, même s'il a la carrure d'un homme. Je suis sûr en tout cas que le grand blond trahit les siens. Il bricole pour son compte.

— Drôle de bricolage. Il a fait sauter l'arsenal.

— Tu verras que les autres ne le lui pardonneront pas. J'ai averti ce pauvre Serge. C'est le nom du garçon.

— Quelle bonne âme tu fais!

— J'en avais un de son âge. Les Allemands me l'ont pris.

Thérèse veut tout entendre. Elle reconnaît dans « le grand blond » le héros de sa nuit. Elle veut en apprendre plus.

Les marins déroulent les filets sur le sable. Le plus âgé des deux semble inquiet. Il prend l'autre à part :

— Dis-moi, Fernand, ce que tu me racontes, tu n'en as parlé à personne ?

— Pour qui me prends-tu ?

— Parce que tu mettrais ce garçon en danger, celui que tu veux sauver. Ils étaient trois, des Parisiens, à camper aux Corfolands.

Thérèse fait des efforts désespérés pour rechercher dans sa mémoire qui lui a parlé des Corfolands. Elle se souvient soudain : le jeune homme à bicyclette, celui qui déclamait des vers à Croix-Guillaume au rond des fées.

— Ils ont retrouvé leur tente déchirée au rasoir, leurs habits saccagés.

— Le grand blond ?

— Oui, et sais-tu pourquoi ? Une voiture est venue hier du Havre. Une femme seule était à bord. Elle a dansé toute la nuit avec l'un des jeunes gens.

— Elle était envoyée par l'organisation ?

— Pour sûr.

— Et le gosse aura parlé ?

— Je ne le crois pas : celui-là est le plus jeune, il ne sait rien. Mais j'ai vu ton Serge s'entretenir longtemps avec le patron. Il lui aura posé des questions, les mêmes qu'à toi.

— Le vieux de la Grande-Marée, qui lui aura tiré les vers du nez...

— Naturellement. Tu sais bien qu'il n'est pas sûr. Le maquis l'a jugé à la Libération. Il a eu le bénéfice du doute. Il a sauvé sa tête de peu. Ne parle pas devant lui, Fernand, tiens ta langue, même sur un coup de cidre.

— Tu ne m'as pas dit pourquoi le grand blond avait sorti son couteau.

— Parce que la môme vert-de-gris lui a fait une scène au bord de la route. Le Pierrot des Rotys a tout entendu. Il était derrière la haie, à chercher un mouton perdu. Elle a dit que le contrat était rompu. Elle avait appris qu'il travaillait pour son compte.

— Lui a-t-elle dit comment?

— Pour sûr. Elle lui a parlé des gars des Corfolands. Elle savait qu'il voulait les embaucher pour déménager les armes. Ah! il a fait un beau tapage! Elle croyait n'importe quels ragots! Elle se fiait à des minables au lieu de lui faire confiance! C'est bon, il se passerait d'eux!

— Il est gonflé. Ils vont le descendre.

— La môme a lancé son moteur, en l'écartant brusquement de la portière. Elle lui a dit qu'une équipe spéciale viendrait prendre livraison du matériel, qu'il n'était plus dans le coup.

— Dans quel coup?

— Ouvre les yeux, Fernand. Tu le sais bien. Le cargo qui revient tous les mois à marée haute, celui des Irlandais.

Thérèse n'en entend pas plus. Elle s'enfuit en courant. La peur lui donne des ailes. Elle a soudain envie de se cacher dans une maison, et de préférence dans la sienne. Les marins sont perplexes.

— Celle-là n'est pas du pays, dit Fernand. Pourquoi a-t-elle couché dehors?

— Bah! fait l'autre, les hirondelles nichent n'importe où.

L'explosion du bunker est passée presque totalement inaperçue. Les pompiers ont expliqué que des armes de guerre, entreposées dans une soute à munitions qui avait échappé à l'attention des démineurs, avaient brusquement sauté. Ils ne peuvent affirmer que le feu d'artifice ait été la cause du sinistre. Le bunker n'a pas bougé. La muraille de béton est à peine fendillée, trouée par places d'impacts, à l'intérieur. La poudre a brûlé, répandant de vives lueurs. Les balles incendiaires, les balles traçantes ont crépité sur les parois. Peut-être une fusée est-elle entrée par les meurtrières, ou par la large embrasure de la façade. Le maire a marqué son étonnement qu'un tel stock d'armes ait échappé à la vigilance des unités alliées chargées de purger la plage. On lui a expliqué que les caisses de munitions étaient cachées sous le sol, dans une trappe recouverte d'une épaisse couche de poussière. Il s'en est contenté. Pour ne pas nuire au commerce estival, il a recommandé de ne rien dire à la presse locale : les journaux n'en ont pas parlé.

Georges se promet d'en faire reproche à la rédaction de *La Marseillaise*. Il veut au contraire amplifier l'incident, donner froid dans le dos aux bourgeois qui assistaient au feu d'artifice et dansaient sur la jetée. Ils auraient pu mourir percés de balles mais, pour le moment, il veut rester discret sur le complot et le trafic d'armes, afin de ne pas donner l'alerte à l'adversaire.

— C'est notre affaire, dit-il, de mettre un terme aux folies de cette bande. Il faut les démasquer, ne pas se contenter de mettre Richard hors d'état de nuire. Les dirigeants du Havre sont plus intéressants que lui.

Avec Maxime et Gilbert, ils ont visité le blockhaus. Les murs sont noircis par la poudre.

— C'est par là qu'il a placé son cordeau, dit Georges en désignant la meurtrière, je l'ai vu sortir. Il est parti dans cette direction pour trouver refuge dans l'autre bunker : personne ne peut s'y risquer.

— Avec la fille ? demande Maxime.

— Sûrement pas. Il y est allé seul.

— Je ne parviens pas à comprendre pourquoi un trafiquant d'armes détruit lui-même son stock.

Georges est perplexe. Il n'a pas, comme à l'accoutumée, une explication toute prête. Il n'a pas reçu de confidences des pêcheurs. Ceux-ci ont gardé depuis Résistance l'habitude de ne rien dire, même à des sympathisants. Le secret est la condition de la survie. Georges ne sait rien, ne saura jamais rien. Les camarades sont d'abord des gens du pays, ils règlent leurs affaires entre eux.

— Le maire a déposé une demande auprès des autorités militaires pour faire fouiller tous les blockhaus. Pour lui, il s'agit d'une mise en demeure, ou bien d'une vengeance, les fascistes veulent montrer qu'ils existent encore.

— Prendraient-ils le risque de gaspiller des munitions, alors qu'ils peuvent les déménager et s'en servir ? Nous n'aurons pas à attendre longtemps. Le deuxième bunker doit être encore mieux garni que le premier. Le feu d'artifice peut avoir une prolongation.

— Tu veux dire qu'il va sauter ?

— Pourquoi pas ? Nous saurons alors à quoi nous en tenir sur la véritable personnalité de Richard, dit Maxime. Pour ma part, je ne le prends pas pour un type simple.

— Un fêlé, un malade ! hurle Georges. Qu'a-t-il fait de la fille ? Il faut aller voir.

— Pour sauter avec lui ?

— Il n'a manifestement pas l'intention de mourir et je suis sûr que la fille est partie.

— N'oublie pas qu'elle peut témoigner.

— Crois-tu qu'il s'en soucie ? Il y a du provocateur en lui. Hier soir, il a défié la ville entière, et pas seulement ses commanditaires. Il doit être, au fond de lui-même, assez fier qu'une fille ait été le témoin de son exploit et qu'elle puisse le raconter. Les colonnes des journaux sont pleines de criminels exhibitionnistes, ne l'oublie pas.

Gilbert ne veut pas en entendre davantage. Il est désormais convaincu qu'à la première occasion, sa Clélia s'est enfuie. Elle a quitté Richard comme elle l'a abandonné lui, près du rond aux fées. Peut-être est-elle chez elle, cachée dans son grenier, occupée à écrire la relation de sa folle nuit sans son journal intime. Elle n'entre jamais dans la danse que pour en sortir, à sa convenance, dès que sa liberté est menacée. Rien au monde ne peut alors la retenir.

Il quitte le groupe des « foulards rouges » à la sauvette, sans se faire remarquer et franchit la Seulles d'un pas léger, saluant au passage les travailleurs du parc à huîtres. Sous le soleil étincelant, il se débarrasse de son pull-over, ouvre sa chemise, lance en l'air son foulard rouge. Le Vaisseau fantôme n'est qu'une ombre dans la nuit qui a sombré dans un mauvais rêve. Le feu crépitant du bunker a chassé les miasmes, fait fuir les crabes et rentrer sous terre les monstres informes des hypothèses informulées. Pour Gilbert tout se transforme en cette nuit. Le rythme des marées, la course des astres, l'entrée du soleil dans un autre canton du zodiaque... A-t-il été visité par des dieux, comme les Grecs dans Homère, qui attisent le courage des héros ou les trompent au contraire, relançant sans cesse la guerre de Troie ? Tant il est vrai que le malheur de l'homme n'est pas fait de l'absence des dieux, mais bien de leur présence. Athéna Niké, celle qui donne la victoire, le pousse vers la digue où les Grecs ont dressé leurs tentes après le combat. La Promachos au casque doré dresse sa lance. S'il faut se battre, Gilbert lancera son char éblouissant dans l'arène, au-devant des Troyens... Il guette les signes qui lui marquent la faveur des dieux : le vol des hirondelles de mer, le surgissement, au loin, des voiles pourpres de la flotte péloponnésienne. Deux messagers d'Athéna se présentent, souriants, les bras ouverts. Ils marchent vers lui, ils lui font signe de se hâter. Jean-Philippe et Serge, revêtus des cuirasses d'or, des casques ailés des facteurs de l'Olympe, ceux qui ne délivrent pas des lettres, mais des oracles.

— Thérèse est aux Corfolands, lui disent-ils. Elle t'attend.

— Thérèse ? Vous voulez dire Clélia ?

Elle est enfouie dans le sac de couchage rapetassé de Gilbert, sous trois épaisseurs de couvertures. On aperçoit à peine son visage. On la reconnaît à ses cheveux bouclés et courts. Elle dort en chien de fusil, depuis des heures.

— Elle n'a rien dit, elle demandait seulement à te voir, ne se rappelait pas ton nom.

L'a-t-elle jamais su ?

Il se glisse auprès d'elle, sous la tente, lui caresse le front. Il est brûlant. Elle grelotte, après avoir si longtemps frissonné. Elle ouvre les yeux, le reconnaît, se tourne pour ne plus le voir et retombe dans sa léthargie.

— Je m'appelle Gilbert, lui dit-il, et je t'aime.

Elle ne fait aucun signe de compréhension. Son nom lui importe peu, elle cherche un refuge. S'il l'aime, qu'il le prouve, qu'il le montre en la protégeant, en la tirant d'une situation dont elle ne voit pas l'issue. Si elle rentre chez elle, ils la trouveront, la questionneront, la rendront complice de cet immense complot dont les proportions la terrorisent.

— C'est fini, dit Gilbert en la serrant dans ses bras. Tu es en sécurité.

Agacée, elle fronce les sourcils. Rien de plus. A quoi bon protester ? Il ne lui dit pas spontanément ce qu'elle veut entendre. Pourquoi annoncer « C'est fini » alors que l'horreur commence ? Elle sait parfaitement qu'elle ne peut être nulle part en sécurité. Cette tente est un abri provisoire, elle devra partir plus loin, sans savoir où.

— Je ne suis pas seul, dit Gilbert, pensant aux Jeunes Gardes. Nous sommes une armée.

Elle n'a qu'une envie : quitter le champ de bataille. Qu'ils se battent s'ils veulent. Qu'ils meurent, comme jadis son père, dans les coups fourrés de la guerre clandestine. Elle regarde Gilbert avec pitié : se croit-il de taille à résister aux atrocités ? Sa faiblesse, qui lui paraissait touchante au bois de la Croix-Guillaume, l'exaspère désormais. Pourquoi suivre un jeune homme aussi falot ?

— Dors encore, lui dit-il. Seul le sommeil peut venir à bout des mauvais rêves. Je suis là pour t'inspirer « des rêves d'or de femme prolifique.

Gilbert ne trouve de réponse aux situations difficiles que dans l'évasion.

> *Le mage a pris ma sœur...*
> *et je n'ai pu vouloir sous les étoiles habituelles*
> *écouter les baisers que lui donnait l'amant.*

Apollinaire le berce dans son nouveau rapport avec Thérèse, lui suggère de la reprendre, comme une sœur. Elle ne peut le suivre en ce royaume de myrtes. Elle n'est pas en état de cueillir les fruits du paradis. Il veut lui faire oublier des images d'horreur. Il ignore que les mots tuent plus sûrement que les faits. Thérèse n'a pas été effrayée par ce qu'elle a vu, mais par les paroles des pêcheurs.

Comment l'avouerait-elle sans les dresser tous les uns contre les autres ? Ils sont ses seuls alliés. Elle ne peut pas parler, se libérer des choses horribles qu'elle a entendu dire. Jadis son père a pu être dénoncé, livré aux Allemands, à cause des imprudences de langage de gens qui l'aimaient. Elle s'éloigne de Gilbert. Qu'il la laisse en paix, il ne peut rien pour elle.

— Parle, lui dit Gilbert, dis-moi s'il t'a menacée.

Quel contresens ! Menacée ? Alors qu'elle était prête à placer pour lui les charges de plastic ? Comment Gilbert peut-il être aveuglé à ce point ? Autant ne pas le détromper. La vérité serait trop dure pour lui. Elle ne veut plus penser à son héros wagnérien. Il a disparu dans la tempête. Elle ne souhaite pas qu'il revienne. Mais qu'on n'aille pas lui dire qu'il l'a menacée.

— Je comprends, dit Gilbert, qui croit nécessaire d'interpréter ses silences pour l'aider à parler. Il t'a manipulée.

Un comble! Les pêcheurs ont évoqué la folle nuit où il a dansé avec cette femme inquiétante, la déesse guerrière des Troyens du Havre. Elle l'a tourné et retourné, exploré à sa guise. S'il ne lui a pas parlé, c'est qu'il ne savait rien. Il a cependant donné le nom de son campement. Elle l'a livré à la rancune terrifiante du terroriste fou. Serge, le grand hoplite, a été trahi; Gilbert, manipulé. Il n'aura dansé qu'une seule nuit avec Héra, l'épouse de Zeus. Héra la soupçonneuse, la perfide, l'impitoyable, le vrai chef de la bande de l'Olympe. Celle qui préside aux exécutions.

— Personne n'a pu te voir, poursuit Gilbert, sauf Georges et moi. Quant à l'autre, nous l'attendrons de pied ferme, s'il a la bonne idée de revenir.

Elle est attendrie par tant de naïveté. Il a réussi, par sa sottise, à lui faire oublier ses obsessions. Pense-t-il vraiment que l'incendiaire viendra livrer, comme Hector, un combat singulier devant la tente des Parisiens? Pauvre Gilbert-Achille! Même avec l'aide des Achéens, comment pourrait-il résister au dieu des tempêtes? Elle se renfrogne, reprend sa position en chien de fusil. Elle vient de penser aux pêcheurs. S'ils ne l'ont pas identifiée, ils ont pu soupçonner que sa présence sur la plage, au petit matin, n'était pas innocente. Ils auront peut-être reconnu en elle, comme dans Wagner, la fiancée du Hollandais.

— Elle est terrorisée, dit Gilbert à Serge en sortant de la tente. Elle ne veut pas me dire ce qu'elle a vu, ni la contrainte qu'il lui a fait subir.

Jean-Philippe fait sauter les osselets rouges dans sa main. Un jeu grec, assure-t-il. Il semble se désintéresser de la situation. Il ne vient pas au secours de Serge, qui reste muet, s'assied devant le feu, n'osant regarder Gilbert en face.

— Pourquoi ne m'aidez-vous pas?

— Nous ne t'avons que trop aidé. Depuis le début, cette fille nous crée les pires ennuis. C'est ainsi, elle n'y peut rien. Ne crois-tu pas que tu devrais l'oublier ? Serge va la reconduire chez elle.

— Je ne veux jamais l'oublier.

— Voilà qu'il parle en vers ! s'exclame Jean-Philippe. Voudrais-tu un instant oublier Apollinaire. Vois les choses en face. (Il singe Gilbert :) *Je ne veux jamais l'oublier, ma Colombe, ma Désirade...* Richard l'a bien oubliée. Pourquoi pas toi ?

Avec une force extraordinaire pour un être aussi chétif, Gilbert lui lance son poing au visage et le manque, Serge s'étant interposé à temps.

— Un comble ! Nous accueillons cette fille qui, de toute évidence, a beaucoup à cacher. Nous la protégeons. Elle a suivi sans vergogne un voyou notoire. Voilà ses remerciements. Cours chez les « foulards rouges », demande-leur de t'accueillir et de faire une place à ta dulcinée. Pour ma part j'arrête les frais. Je ne battrai plus ma coulpe. Jupiter rend aveugles ceux qu'il veut perdre. Rappelle-toi ta grammaire latine. Je ne te suivrai plus dans ta chute.

Dans le cœur de Gilbert, la haine a fait place à la plus profonde affliction. Ceux-là ne lui veulent pas de mal. S'ils lui parlent avec cette brutale franchise, c'est qu'ils croient avoir raison. Thérèse n'a pas à porter la guerre dans le camp de Georges. Qu'on ramène à son logis cette Hélène de Troie.

— Vous n'aurez pas à me reconduire, dit Thérèse en se dressant, hors de la tente, de toute sa taille. Je pars seule et ne vous demande rien.

Dignement, elle prend la route de Courseulles, cueillant au passage, comme si rien ne s'était passé, le chèvrefeuille des haies. Un essaim d'alouettes et de passereaux lui fait fête, sortant des blés mûrs. Dans son champ, le Pierrot des Rotys n'en perd pas une miette. Il suit la petite dans un créneau d'églantiers. Il lui offrirait ses iris, ses roses pomponnettes, le miel de ses abeilles et le lait de ses chèvres, si elle le suivait à la ferme.

Elle marche sans faiblir, insensible aux suggestions des mouettes, qui plongent avec grâce dans les champs de moutons avant de reprendre leur vol en escadrilles vers la mer. Gilbert, à vélo, la rattrape facilement. Elle fait semblant de ne pas le reconnaître. Non, elle refuse de le laisser l'accompagner. Elle rentrera seule, sans escorte. Qu'il rejoigne les « foulards rouges ». Elle n'a nulle envie de lui demander une grâce. Elle croyait pouvoir compter sur sa protection, sur sa discrétion. Elle s'est trompée. Les boy-scouts des Corfolands l'ont déçue. Elle ne s'en prend qu'à elle-même : ces grands enfants sont incapables d'entrer dans la vie. Ils ne connaissent que les jeux de foulards.

Elle ne lui dit pas tout cela. Elle le pense seulement, et fronce les sourcils quand il passe et repasse devant elle, lui coupant la route. Elle presse le pas à travers champs, dévalant les pentes herbeuses du Grand Parc, pour rejoindre la Seulles à sa boucle marécageuse devant Graye. A la Platine, elle s'arrête brusquement, se cache les yeux pour ne pas voir devant elle le second bunker, celui du champ de mines. Gilbert la convainc de se hisser sur le cadre de sa bicyclette. Il s'engage aussitôt sur la route du bord de mer. Elle n'a pas un mot de protestation, pas un geste pour sauter à terre. Elle se laisse enlever docilement. Elle s'est souvenue brusquement du dialogue des pêcheurs. Elle en a froid dans le dos.

Gilbert ne parle pas. Il est trop occupé à pédaler dans la côte assez raide de la route de Creully. Il parvient à peine à la grimper seul, en danseuse. Il souffre horriblement en forçant la cadence. Il tire sur ses bras jusqu'à l'épuisement. Il saute prestement du cadre et pousse comiquement sa dulcinée dans la côte. Ainsi fait-on, dans les Alpes, aux champions du Tour de France qui arrivent épuisés au sommet du Lautaret. Elle monte ensuite en amazone, sur le porte-bagages arrière, lançant ses jambes droites pour rétablir l'équilibre et soulager le conducteur.

— Il est temps de nous séparer, lui dit-elle, je suis presque arrivée.

Il la suit néanmoins. Elle entre dans la maison par la petite porte du jardin. Elle se défie même de sa sœur. A-t-elle honte de sa fugue ? Thérèse ignore ce sentiment. Si elle se cache, c'est par peur. Elle ne veut pas être mêlée à la sale affaire du Havre, même pour l'amour du Hollandais fou. Elle rentre dans sa coquille. Que Gilbert aussi l'oublie.

Déçu, il doit s'en aller. Elle était heureuse de me retrouver, se dit-il, quand elle tremblait de tous ses membres. C'est moi qu'elle est venue chercher. Lorsqu'elle se croit à l'abri, elle reprend ses habitudes. Qui sait, demain elle peut retourner à la plage et se balader sur la digue, attirant les regards, pour décourager les soupçons. Il faut se défier des filles au visage de madone. Je l'avais remarqué à Lisieux : ses yeux avaient un trouble étrange, des regards d'une fulgurance mal maîtrisée. Un feu ardent l'habite, il ne brûle pas pour moi.

Elle n'a pas jugé bon de lui confier le moindre détail sur la scène du bunker. Elle ne voulait pas compromettre le « dynamitero ». Elle est sa complice ou sa victime consentante. Il ne veut pas choisir.

A la Platine, il prend à gauche, le chemin qui conduit aux dunes. Georges, en observation à deux cents mètres du blockhaus, l'arrête :

— Ne va pas plus loin ! Il pourrait tirer avec une carabine de précision. Je suis sûr qu'il est là. Il sortira la nuit, c'est probable, pour rejoindre la fille. (Il fixe étrangement Gilbert, prenant son guidon dans sa poigne de fer.) Car il va la revoir. Ce n'est pas ton avis ?

Les autres Jeunes Gardes descendent sur le sentier,

quittant leur planque dans les genêts des dunes. Ils entourent Gilbert, le poussent doucement à l'écart, dans le creux d'un rocher presque submergé par les sables.

— Tu n'as rien à nous dire? questionne Georges, sur le ton d'un interrogatoire de police.

Gilbert, accablé, surpris, indigné, ne répond rien. Ils l'entraînent vers l'épave d'un char Centaur qui a perdu sa tourelle. Marcel et Roger le hissent par l'ouverture béante, noircie, et le plongent de force à l'intérieur de la carcasse de ferraille déjà rongée par la rouille.

— De braves Canadiens sont morts brûlés là-dedans, dit Georges, qui a sauté avec souplesse sur le véhicule et s'est logé à l'avant, juste en face de Gilbert, empêtré dans un réseau de ferrailles coupantes.

— Nous pouvons t'attacher là avec du fil de fer. On te retrouvera dans un jour, deux jours peut-être. Un bâillon t'empêchera d'appeler. Nous ne te voulons aucun mal, mais Maxime t'a suivi. Il t'a vu grimper au Pasty avec la fille sur ton cadre de vélo. Celle-là même qui avait joué au feu d'artifice avec notre flibustier. Vas-tu parler?

— Je ne puis rien vous dire.

Il se rend compte qu'il est vain de nier. Il cherche à protéger Thérèse.

— Elle ne m'a rien dit, parce qu'elle ne pouvait rien dire : elle ne sait rien. Il l'a menacée, intimidée.

— Tu te moques de nous? Elle a sauté avec lui dans le dinghy. Tu l'as vue comme moi. Les pêcheurs l'ont trouvée ce matin sur la plage. Elle a dormi dans une barque.

— C'est bien la preuve qu'il l'a larguée! hurle Gilbert que cette séance exaspère vraiment.

Georges fait un signe. Il est happé, poussé vers le fond du Centaur, attaché par une chaîne à un longeron solide.

— Tu connais cette fille. Tu sais qu'elle vient de Lyon. Nous saurons la vérité, tôt ou tard. Dis-la tout de suite, nous gagnerons du temps. Une catholique de Lyon! Dans leurs couvents se sont cachés les nazis de l'ordre noir. Ils sont très capables d'utiliser des gosses de son âge. Tu le sais bien.

— Vous êtes fous à lier ! hurle Gilbert. Laissez-moi. Je ne vous connais plus.

— Tu n'es pas digne d'être des nôtres. Je me suis trompé sur ton compte. (Il lui arrache son foulard rouge et le roule soigneusement pour en faire un bâillon.) Adieu, camarade ! Tu ne pourras plus chanter cette nuit, même si les crabes viennent te lécher les pieds.

Deux précautions valent mieux qu'une : Maxime lui enlève ses souliers.

La nuit tombe. Épuisé, Gilbert s'est laissé glisser dans le fond humide de l'épave, sur le sable mouillé habité de coquillages qui le griffent ou le piquent au sang. La plante des pieds, tendre et fragile, est offerte aux raids de tous les animaux prédateurs, petits et grands.

La colère l'emporte sur tout autre sentiment, même sur la peur. Ces « foulards rouges », qu'il a toujours voulu regarder comme ses frères, de nouveau l'accablent et le trahissent. Ils refusent de le considérer comme un des leurs. En raison de ses origines petites-bourgeoises, il est suspect au départ et ne peut que mentir. On l'interroge comme un « social-traître ». On ne ménage en rien sa dignité. On l'abandonne comme une proie. Il est exposé aux pires sévices. On veut le conditionner. Au petit matin, peut-être viendront-ils le délivrer. Il sera docile comme un esclave repenti, malléable aux suggestions du chef, disposé à faire les réponses attendues. Il dénoncera sans qu'on l'en supplie, simplement pour revenir à la vie normale, pour ne plus subir la persécution.

Il lui a arraché son foulard, comme jadis le chef scout. Il l'aurait dégradé, peut-être, s'il avait eu des galons ! Les fanatiques ont tous le même visage, celui de la haine et du soupçon. Pouvait-il attendre la moindre compréhension, la moindre estime d'un cadre du Parti arrivé par le rang? Il s'est servi de lui quand il a pu le faire sans danger. Il l'aurait accepté peut-être dans son groupe, s'il avait accepté la rééducation politique qui s'imposait. N'avait-il pas pour camarades un militariste en herbe, qui ne rêvait que d'exploits guerriers, et un bourgeois de la pire espèce, celle du 16e arrondissement, qui tenait Malraux pour le philosophe des temps modernes et de Gaulle pour un sauveur? Comment faire confiance à un jeune homme aussi mal entouré, même s'il montrait de la bonne volonté?

Georges avait-il jamais éprouvé pour lui un soupçon d'amitié? Gilbert l'admirait sans réserve. Il montrait sa force, mais n'en abusait pas. Chaudronnier chez Renault, il étalait une culture politique qui pouvait surprendre et trahissait de rudes efforts. Militant communiste, il restait ouvert aux autres, attirait à lui des jeunes de toute sorte. On pouvait penser de lui qu'il n'était pas sectaire et voulait faire la route avec tous ceux qui partageaient un idéal de respect de l'homme et de progrès indéfini de la société, grâce aux efforts des travailleurs unis. Tel était son discours. La réalité, c'était l'amalgame. A la moindre alerte, il retrouvait le discours dur de la condamnation sans appel, mêlant dans une même réprobation les criminels avérés (les anciens de la Charlemagne), ceux qui travaillaient avec eux (le pirate du blockhaus) et tous les autres qui, par leur mollesse, leur indifférence, leur complicité tacite, rendaient possibles les menées des « fascistes ». Gilbert était ainsi classé dans le camp des ennemis du peuple. On pouvait le faire mourir de froid et de faim. Il avait trahi en refusant de livrer au tribunal des « foulards rouges » les complices du dynamiteur nazi, offerts en holocauste pour apaiser la colère du peuple.

Les réserves de Gilbert étaient des crimes. Qu'il protégeât la jeune fille trahissait un comportement de classe. Le sentiment individuel primait l'intérêt de la masse. Que de camarades s'étaient ainsi laissés aller à la trahison, pour l'amour d'une femme compromise ou simplement menacée ! Gilbert entrait dans ce moule. Qu'en outre il contestât, comme ses amis des Corfolands, l'appartenance de Richard à l'ordre noir était un crime plus grave encore qui méritait, à tout le moins, une autocritique devant les camarades. Gilbert avait refusé de parler parce que, précisément, il n'était pas un camarade. Il avait fait la preuve de son inconscience de classe.

Thérèse avait eu peur. C'était la panique qui secouait son corps frêle sous la tente. Gilbert avait d'abord pensé qu'elle ne pouvait chasser de sa vue des images d'horreur, de sa mémoire les menaces qu'elle avait subies. Elle n'osait rien raconter : elle redoutait d'être poussée dans un précipice dont elle ne voyait pas le fond. Elle avait découvert, en quelques minutes, l'enjeu terrifiant de la traque du fugitif. Impliquée malgré elle dans une conspiration qui semblait déboucher sur une lutte à mort entre des « outlaws ». Elle avait eu sous les yeux des personnages de cinéma.

La danseuse du Havre était une héroïne du Technicolor. S'il avait soupçonné qu'il tenait entre ses bras la responsable d'un commando terroriste, il se serait enfui aussi vite que Thérèse et pour les mêmes raisons. Il n'avait pas plus qu'elle le désir d'être impliqué dans une affaire louche et criminelle. Il ne faisait pas de différence entre l'homme du blockhaus et la femme de la traction avant. Ils étaient du même monde. Lui n'en serait jamais.

Il n'éprouvait donc aucune indulgence pour Richard. Sans avoir les mêmes raisons que Georges de le poursuivre et de le condamner, il souhaitait seulement écarter Thérèse de sa route. Il lui en voulait de l'avoir neutralisée aussi facilement, et peut-être séduite. A l'évidence, elle le protégeait. Elle était fort capable, à l'imitation de Mathilde de La Mole chez Stendhal, de tenir le crime comme un élément du jeu romanesque. Avait-elle trouvé

excitant d'être mêlée à une opération de commando ?
Ces satisfactions, chez une élève — même rebelle — des
institutions catholiques lyonnaises, ne pouvaient durer
longtemps. Elle avait pris peur. Mais elle était encore
assez fascinée par le monstre qu'elle avait travesti en
héros pour lui rester fidèle en pensée, puisqu'elle n'avait
pas dit un mot qui pût lui nuire.

Haïssait-il Richard ? Sans doute lui serait-il resté
indifférent, comme cette femme avec qui il avait dansé
toute une nuit, s'il n'était rentré par effraction dans
l'intrigue sentimentale qu'il avait passionnément — et
solitairement — tissée autour de Clélia, devenue Santa,
et, plus prosaïquement, Thérèse. De ce point de vue, il
souhaitait seulement qu'il disparût, comme Skaggerak,
sans laisser de trace, dans les cales immergés du Vaisseau fantôme.

Il n'avait pas eu les pieds mangés par les rongeurs, ni
pincés par les crabes quand il s'était assoupi dans la
carcasse du Centaur. La lune, à l'aplomb de la tourelle
éclatée du char, l'avait réveillé autour de minuit, éclairant d'une lumière implacable l'architecture métallique
de sa prison. Il se demandait si les « foulards rouges »
surveillaient le lieu, pour le libérer au moment où il
flancherait. Ils avaient sans doute jugé l'intervention
prématurée, car on n'entendait, autour du char perdu,
que le bruit lointain du ressac.

Il souffrait terriblement d'ankylose. Il ne parvenait
pas à se redresser le long du longeron. Ses mains
attachées par-derrière étaient violettes de froid. Il en
voulait à la lune de l'avoir réveillé. Assoupi, il ne
souffrait pas. Impossible de retrouver le sommeil, avec
la faim qui le tenaillait. Il serait bientôt mûr pour
l'interrogatoire glacé de l'autocritique.

Il toussait à perdre l'âme. Sa gorge était douloureuse,

son souffle oppressé. Allait-il mourir dans cette geôle ? Ceux qui l'avaient attaché là étaient-ils conscients de leur effroyable responsabilité ? Comment pouvaient-ils prendre ce risque ? De quel droit des gens capables de telles conduites pouvaient-ils juger leurs adversaires ?

— *Hello, chap !*

On lui parlait, en anglais, par l'ouverture de la défunte tourelle. Il apercevait seulement une forme humaine, dans la clarté lunaire, sans distinguer les traits. Son foulard rouge l'empêchait de répondre. Il s'efforçait seulement de faire tinter ses chaînes le long de la paroi métallique, pour appeler à l'aide. Qui pouvait-ce être ? Un Anglais ? Un Canadien perdu sur la plage ? Rêvait-il ? Un fantôme du 6 juin venait-il à son secours, un parachutiste tombé du ciel ?

L'homme se glissa dans la carcasse, éclaira le visage de Gilbert avec une torche qu'il éteignit aussitôt, pour ne pas attirer l'attention. Il dénoua à tâtons son foulard, libéra ses mains.

— Aidez-moi à sortir, dit Gilbert, mes jambes ne peuvent plus me porter.

— *Ein Moment !* dit l'autre en sortant une fiole de sa poche. Buvez !

Gilbert ne connaissait pas le goût du whisky. Il fit la grimace. L'alcool eut un effet immédiat : il sentit dans son corps une décharge de courant électrique, comme si une pile eût rétabli d'un coup tous les circuits nerveux. L'inconnu frictionna ses pieds et ses jambes avec de l'alcool. Il frottait alternativement ses quatre membres pour les obliger à bouger, en dépit de l'ankylose. Il lui massa énergiquement la nuque.

— Il faut sortir d'ici très vite, lui dit-il en français. Ils vous guettent. Ils sont tous partis, mais ils vont revenir avant le jour.

Ainsi, l'inconnu avait assisté à toute la scène, observé la surveillance des « foulards rouges », attendu patiemment

157

l'occasion d'intervenir. Gilbert l'intéressait. Qu'attendait-il de lui ?

— Je vais vous tirer d'affaire, lui dit-il. Faites-moi confiance. Ils ne vous retrouveront pas.

Il voulut aider Gilbert à se redresser. Impossible. Il ne pouvait tenir debout. Il le prit sur ses épaules, pour le hisser sur la carcasse, et le faire glisser ensuite dans le sable. Le reprenant sur son dos, il gagna le sentier de la plage, sans faire aucun bruit. Ses semelles de caoutchouc laissaient pourtant une trace dans le sable humide, mais il n'en avait cure : il déposa Gilbert dans un petit bateau gris. Le dinghy, se dit-il.

— Vous êtes...

— Je suis, coupe l'inconnu. N'ayez aucune crainte. Nous avons désormais les mêmes ennemis. Je vous ai sauvé. Je vous sauverai encore. Ces gens-là sont impitoyables.

Il l'entraîna dans son blockhaus, le portant encore pour lui éviter tout faux pas dans le champ de mines. Sûr de lui, le Hollandais fou sautait d'une pierre à l'autre. Il avait disposé des galets sur le sentier pour reconnaître son chemin.

Il déposa Gilbert sur une paillasse de la salle des canons, avec autant de précautions qu'un sac d'explosifs.

— Chocolat ? Non, attendez encore, je vais faire cuire des *beans*.

Il lui tendit une boîte de bière pour le faire patienter. Sur un réchaud à alcool, il faisait cuire ses haricots blancs des magasins américains. Gilbert, crispé, anxieux, buvait et mangeait sans faire de commentaire. Il lui déplaisait de devoir son salut au ravisseur de Clélia.

— Pas de problème pour la petite sainte de Lisieux, dit Richard. Je ne lui ai fait aucun mal, et je l'ai relâchée dès que j'ai pu. Je ne pouvais prendre le risque de la laisser repartir pour qu'elle donne l'alarme. Le coup fait, elle n'était plus dangereuse. Je n'ai pas eu à la contraindre. Elle trouvait mon jeu très amusant.

Gilbert était stupéfait. Il mentait. Pourquoi aurait-elle été effrayée à ce point si elle avait trouvé plaisant de jouer avec des explosifs? Que lui avait-il avoué, pour la terroriser?

— Les « foulards rouges » me traquent, affirme-t-il. Ils ont des amis partout et croient pouvoir me livrer à leurs juges. L'épuration n'est pas finie. Ils cherchent tous les anciens nazis, et ne sont pas les seuls à me poursuivre.

— Qui êtes-vous donc?

— Vous le saurez peut-être un jour, mais ne comptez pas sur moi pour vous le dire. Vous êtes mon obligé. Je n'ai pas à vous faire de confidences. Moins vous en saurez, plus facilement vous pourrez vous échapper. Car ils vous traquent aussi, ils vous croient complice. Autant jouer mon jeu, puisque, de toute façon, ils vous ont associé à mon sort.

— Je n'en ai nulle intention, dit Gilbert. Je ne suis d'aucun camp.

— Moi non plus. Je n'ai rien à vous dire, pas plus qu'à Thérèse. Elle ne sait rien, ne se soucie de rien. Faites comme elle. Suivez-moi si vous voulez. Vous n'avez d'ailleurs pas le choix. Prenez deux heures de repos. Avant l'aube, tout va sauter.

— Ne puis-je savoir au moins qui vous êtes?

— Je suis Richard, vous le savez.

— De quel diable de pays êtes-vous?

— De tous et d'aucun.

En riant, il ouvrit la trappe de la chambre aux munitions. Elle regorgeait de dynamite.

— Un beau réveil, pour mes amis de Courseulles, ne trouvez-vous pas?

La « *munitions' room* » mesurait quatre mètres sur un mètre soixante. Elle pouvait contenir cent obus, sans compter les bandes de mitrailleuse, les grenades à main, les mines et les caisses de cartouches. Comment dormir sur un tel arsenal ? Gilbert n'en croyait pas ses yeux.

— Est-il possible que les Alliés n'aient pas évacué...

— Ils l'ont fait. Mais Richard veillait. (Il montra les grenades, comme Ali Baba ses diamants.) Deux ans de travail pour constituer des caches, rassembler le matériel. Ce matin, tout va sauter.

— Pourquoi ?

— Tu veux tout savoir, petit d'homme ? Ouvre les yeux, mais ne pose pas de questions. Aide-moi à disposer les grenades. Je vais manquer de plastic.

Il les plaça au centre de la chambre, sous les caisses de munitions, reliées entre elle par un cordeau Bickford. Le travail était long, minutieux. Gilbert aidait de son mieux, en déplaçant constamment les caisses. Il se rendait utile. Il se doutait que son entreprise était suicidaire. Ce stock d'armes valait une fortune pour les trafiquants.

— Pourquoi ne pas remettre tous ces fusils aux autorités ? Vous seriez décoré pour cela...

— Et je défilerais le jour du 14 Juillet, dit l'autre.

Un sourire illuminait son visage.

— Pourquoi pas, dit Gilbert, qui se souvenait de sa descente de la célèbre avenue, en uniforme de boy-scout. Richard calme, précis, le regard jovial, le visage ouvert... retrouvait l'allure des routiers, ses grands frères scouts.

— Je ne suis pas du genre à défiler, dit-il.

Il avait pourtant fait la guerre. Il démontait les obus, les désamorçait pour recueillir la poudre, qu'il disposait en longues traînées dans la pièce, pour être sûr de tout faire sauter. Sa connaissance des armes, sa maîtrise du plastic, des mines, du matériel de sabotage indiquaient un véritable entraînement, celui des Services spéciaux.

— Vous étiez dans les commandos ?

— Vous voulez dire que j'y suis. *Kommando* Richard. Vous connaissez? Vous y êtes aussi, puisque vous m'accompagnez. Me suivrez-vous dans toutes mes entreprises?

— Pas plus que Thérèse, dit Gilbert. Pourquoi est-elle partie?

— Je n'avais aucune raison de m'encombrer d'une mineure. Ce n'est pas moi qui l'ai fait venir.

— Elle vous a tout de même suivi, de son plein gré.

— Vouliez-vous qu'elle saute dans le bunker? Vous déraisonnez. Êtes-vous très épris d'elle?

Il avait dit « épris ». Un mot savant, du dictionnaire; il parlait un français appris, précieux parfois. Gilbert se demanda soudain s'il n'avait pas eu un précepteur. Il avait, après tout, de l'allure, du sang-froid, du charme. Un gentleman dans une armure de bons usages gravés dans sa mémoire.

— Elle n'est pas votre type, dit-il. Trop romanesque. Je suis sûr qu'elle ne travaille pas bien à l'école. Comment pourrait-elle se concentrer, alors que son imagination bat la campagne?

Il en parle comme s'il la connaissait depuis des années, se dit Gilbert. Il n'évoquait pas Clélia, ou Santa, mais Thérèse la Lyonnaise. Pas un portrait, un photomaton.

— Les yeux mettent le feu à son front, sa bouche attend tout de la vie. Sa ceinture est un cordeau Bickford, elle balance son cœur comme une grenade dégoupillée. N'y voyez pas de déformation professionnelle : elle aurait pu être terroriste au Sinn Fein, franchir la Manche, s'engager chez les Irlandais fous qui veulent prendre la Couronne d'Angleterre. Elle serait venue avec moi. Non pas pour me suivre, mais parce que mon job l'enthousiasme. Sans en connaître les raisons.

— Pourquoi ne pas l'avoir recrutée dans votre commando, avance Gilbert d'une voix blanche?

— Trop émotive. *Too soon made glad, too easily impressed.*

Elle se serait fait tuer à la première mission. Tu connais Elsa ?

— L'*Obersturmführer* du Havre ?

— *Ja.* Tu as dansé avec elle une nuit entière. J'ai cru que tu m'avais balancé. Je t'en ai voulu. J'ai compris plus tard, par recoupements, que tu n'y étais pour rien. *Gemütlich*, Elsa ? Agréable. Sa voix glisse comme une caresse. Quand elle ouvre les lèvres pour parler, on dirait qu'elle t'embrasse. As-tu deviné qu'elle était chef de groupe ? *Gruppenführer* ?

— Comment aurais-je pu ?

— Je ne t'en fais pas grief. Tout le monde se trompe, se laisse abuser, manipuler par Elsa. Elle est redoutable, aussi froide dans l'action que dans le renseignement. Sans t'en douter, tu lui as dit ce qu'elle cherchait. Elle a vu tes copains, elle les a entendus parler. Il lui restait à regrouper les informations pour les relier à la dénonciation qu'elle avait reçue.

— Qui t'a dénoncé ?

— Le patron de la Grande-Marée. Un correspondant du groupe. Il ne dénonce pas, il informe. A chacun sa tâche.

— La tienne ?

— Tout faire sauter !

— Pour le compte de qui ? Si tu m'engages, je dois savoir.

— Je n'ai besoin de personne. Quand tout sera fini, tu pourras rejoindre ta Dulcinea del Toboso.

— Je ne suis pas Don Quichotte.

— Oh si ! « A trop lire et trop peu dormir, tu te dessèches la tête... »

— Puisque je ne suis pas fait pour elle, à quoi bon la rejoindre ? Je ne puis lui offrir tous les matins un incendie de bunker.

— Attention, dit Richard, tu te prends le pied dans le cordeau. Ne bouscule pas les grenades, elles sont sensibles comme des femmes.

— C'est égal, je t'aurais bien suivi sur ton parcours. Crois-tu que j'aie des dispositions ?

— Pas la moindre. Tu es étourdi, indifférent, fragile et frileux. Engage-toi plutôt dans la marine.

— Quelqu'un voudra-t-il de moi un jour ?

— Aide-moi à vider cette caisse. Prends les cartouches à pleines poignées, elles ne mordent pas, et répands-les sur le tapis de sol. (Il consulte sa montre.) Tout est prêt et nous avons une heure d'avance sur l'horaire, heure française, naturellement. Aide-moi à assurer notre retraite.

Il dispose le cordeau autour du bunker, avec précaution, et s'engage sur les pierres disposées jusqu'à la mer en un escalier continu. Grâce au clair de lune, il accomplit cette descente sans allumer sa lampe. Gilbert le suit à distance, hésitant à chaque pas.

— Quatorze minutes pour s'enfuir, dit-il. Saute le premier dans le dinghy, pour gagner du temps.

Il allume l'extrémité de la mèche, rejoint l'embarcation et prend aussitôt la rame. Il en tend une autre à Gilbert.

— Rends-toi utile. Non ! Tu rameras tout à l'heure. Tu me ferais manquer le courant.

Ils sont au large du château de Vaux quand l'explosion se fait entendre, suivie du long crépitement des balles. Des flammes sortent par les meurtrières. Un vent violent, venu de la terre, emporte les panaches de fumée noire. Cinq minutes plus tard, on entend la sirène de Courseulles qui appelle les pompiers. Le dinghy s'est rapproché du rivage. Richard saute le premier à terre.

— Veux-tu continuer jusqu'en Amérique ? Préfères-tu être mon hôte au donjon de Vaux ? Je plaisante. Tu vas retrouver les tiens. Je te conseille de ne pas parler. Ils pourraient t'en vouloir. A bientôt peut-être. La vie nous sépare. Ce n'est pas ma faute. L'aigle noir est revenu dans son aire. Il ne connaît pas la pitié.

Chapitre 7

La tour de Vaux

LA NORMANDIE guerrière offre à Richard toutes ses lignes de bataille : si les bunkers de l'organisation Todt ne lui suffisent pas, il a les caves et les souterrains des châteaux médiévaux, autre digue contre les envahisseurs, Lasson, Creully, Bercy, Fontaine-Henry et Amblie, et Beuville et Vaux, à portée de flèche de la plage.

Richard aime faire retraite à Vaux, dont les ruines sont abandonnées. La tour du château de Vaux, mangée de lierre, a sa préférence ; à croire qu'il en connaît les cachettes et les mystères depuis son enfance. Montgomery avait installé son état-major à Creully. Celui de Richard est à Vaux.

Il aurait pu choisir aussi bien les ruines de Bernières-sur-Mer, qui sont encore plus près de la mer, ou dans le château du Haut-Lion dont on se demande si les grandes marées ne vont pas, un soir, emporter les tours, tant elles sont proches du rivage. Mais il ne se sent en sécurité que dans le lacis fort dangereux des souterrains à demi effondrés, sur les chemins de ronde qui peuvent s'écrouler à tout moment, dans les ronceraies qui partent à l'assaut des pans de murs. On se doute, dans le pays, des manigances attribuées pudiquement au fantôme de la tour, mais nul ne songe à dénoncer Richard qui n'a jamais été surpris. Il entre dans son domaine la nuit, et n'y paraît pas au grand jour.

Le château est entouré d'un bois qui prolonge ses futaies jusqu'au rivage. La brume aidant, on passe inaperçu quand on y accède par la mer, surtout après le crépuscule. A tous égards, la place est sûre. Elle est également bien fournie en réserves de siège, en armements de toute sorte. Richard a de quoi défier la maréchaussée si elle se risque sur ses terres. Elle ignore d'ailleurs qu'il tient ici son chef-lieu de bailliage. Il ne hisse pas ses couleurs à la pointe du donjon.

Gilbert et peut-être Thérèse savent qu'il y trouve refuge. Il les a débarqués l'un et l'autre à proximité du troisième blockhaus, sans doute intégré à son fief, pris de haute lutte et jalousement gardé comme les autres fortins du rivage. Gilbert a fort bien vu qu'il se glissait dans les futaies en direction de Vaux.

Pourquoi l'a-t-il tiré des griffes de Georges ? A l'évidence, il n'a nul besoin de lui, il n'a pas insisté pour le recruter dans sa bande. Solitaire il reste. Gilbert se retrouve, sur la plage, dans la même situation que Thérèse. Sauvé du cataclysme mais compromis, engagé comme témoin d'une folle équipée et relâché sans méfiance, familier du fantôme et cependant ignorant même de son identité. Nous sommes à égalité, se dit Gilbert. Il me reste à retrouver Thérèse, pour oublier ensemble.

Il l'imagine, épiée, assiégée par la bande de Georges, n'osant mettre le pied dehors. Ils ont une expérience commune, et sans doute le désir de l'enfouir dans leur passé. La formidable explosion a laissé Gilbert sans réaction, dépassé par une entreprise d'une autre échelle, ouvrant les vannes d'un imaginaire souterrain dont il soupçonne l'horreur. Il ne veut pas franchir les portes de l'enfer sans se retourner. Qui a le droit de l'y contraindre ? Vite, retrouver Thérèse pour aller danser... comme les villageois à la fin de *Don Juan,* quand le Commandeur a terminé son festin de pierre et de feu.

Le *marchesano* des bunkers a disparu sous terre. Qu'il y reste! Gilbert n'est pas son compagnon, et il tient pour assuré que Thérèse n'a pas été sa maîtresse. Comment serait-elle attirée par le néant? Il faut être inconscient pour entrer dans la danse macabre du survivant des tempêtes. On dit que les fantômes aident quelquefois les vivants, les femmes surtout, qui leur rappellent celles qu'ils ont jadis aimées. Personne n'est tenu de suivre un fantôme.

Il reste qu'ils sont l'un et l'autre sans protection. Comment convaincre Thérèse de partir, d'abandonner famille et maison pour échapper au drame absurde, insensé, auquel ils sont mêlés sans le vouloir? Gilbert redoute de manquer de courage et de force.

D'abord, se dit-il, rentrer au campement. Jean-Philippe et Serge sont ses alliés naturels, son recours. S'ils lui refusent leur aide, il partira. Sur la route de la Platine il aperçoit, devant le bunker, les pompiers de Courseulles dirigés par le maire en personne. La foule est nombreuse, exaltée. Gilbert entend des menaces de mort. Les « foulards rouges » s'activent pour dégager les restes fumants du sinistre : les carabines aux canons tordus, les caisses métalliques éventrées.

Une automobile est stationnée à proximité. De couleur bleu gendarme. Une enquête officielle va être ouverte. Les deux factionnaires tentent d'écarter la foule. Sans doute ont-ils demandé des renforts, afin de fouiller les autres bunkers et de rétablir la sécurité sur la côte en capturant le perturbateur. Gilbert ne s'attarde pas. Il file le long de la Seulles, à travers champs, jusqu'aux Corfolands. Il est inquiet et rase les haies, pour ne pas être reconnu. Il espère de tout son cœur que ses amis n'ont pas plié la tente pour partir. Dieu soit loué, ils sont autour du feu. Pour comble de disgrâce, un taureau solitaire l'attaque quand il traverse le petit pré qui précède le campement. Il se jette à plat ventre pour franchir la clôture en fil de fer barbelé qui marque l'entrée du champ. Quand il paraît devant Serge et Jean-Philippe, il a les vêtements déchirés, des éraflures aux bras et aux jambes.

Ils l'accueillent avec chaleur. Jean-Philippe, surtout, qui ne lui pose aucune question.

— Les sacs sont bouclés, lui précise-t-il, les vélos prêts. Partons tout de suite si tu le désires.

— Nous t'avons cherché toute la nuit, murmure Serge. Le pêcheur m'a averti au petit matin. Nous savons ce que tu as souffert. Nous ne sommes pas de taille, contre les autres. Il faut partir. Pas seulement nous. Elle aussi doit disparaître.

— Elle le sait, assure Jean-Philippe. Ne t'inquiète pas trop pour elle. Nous ne la reverrons plus.

— Je n'en suis pas sûr, lance Gilbert. Rien n'est jamais sûr avec Mathilde de La Mole. Habillez-vous, mes amis, nous allons ce soir au bal des ardents.

La salle est vivement éclairée de bougies, comme si les feux du 14 Juillet ne devaient plus s'éteindre sur la digue de Courseulles. Le public est encore nombreux, le bal comble. Les « foulards rouges » sont attablés à l'entrée et Serge redoute le pire. Mais Georges n'a pas un regard pour Gilbert quand il entre, entouré de ses amis. Les gendarmes sont au bar, invités par le patron. Ils ignorent tout du pays, venant de brigades de Bretagne. Les trois jeunes gens s'installent près de l'orchestre, face à l'entrée, pour ne rien manquer du spectacle de la salle. Seul Gilbert semble à l'aise. Serge quitte la table, sur un signe du patron. Il l'invite à boire un verre avec les gendarmes. On lui demande s'il connaît le pyromane.

— Je l'ai rencontré. Mais je ne puis rien dire sur lui. Pas même si Richard est son nom. Tantôt il a un fort accent anglais, tantôt il lâche des mots allemands. Il n'est pas du genre à faire des confidences.

— Vous êtes un garçon sérieux, dit le brigadier, qui semble avoir pris ses renseignements. Nous nous reverrons demain. Je suis sûr que vous avez envie de me parler.

Serge est perplexe. Le patron a disparu, il ne veut pas être témoin de la conversation. Celui-là nous aura dénoncés, se dit-il. Instinctivement, il couvre Richard, comme s'ils étaient solidaires de quelque imaginaire combat.

— Nous avions l'intention de partir demain dès l'aube. Je suis à votre disposition pour vous parler maintenant.

— Inutile, reprend le brigadier. C'est demain que je veux vous voir, au bunker du port. Vous le connaissez, n'est-ce pas ?

Il est évident, se dit Serge, que le gendarme est informé de ses brèves relations avec le terroriste. Il ne peut se dérober. Le départ est compromis, tant pis.

— Je suis à vos ordres, lance-t-il presque au garde-à-vous, comme s'il était déjà militaire.

Le brigadier sourit. Il n'est pas sûr que le gaillard puisse lui faire des révélations. Mais il vient de le compromettre aux yeux de tous ceux qui ont intérêt à ne pas parler.

Quand il se rassied, Georges se rapproche insensiblement et lâche dans le dos de Serge :

— Bravo ! Donne ! dénonce !

Serge se retourne, poings fermés.

— Je ne suis pas un donneur et je suis prêt à m'en expliquer avec toi.

— Pas de scandale. Tu peux dire aux gendarmes ce que tu veux. Nous l'aurons avant eux.

Contre toute attente, Jean-Philippe se lève, comme mû par un ressort, et entraîne Georges vers le fond de la salle de bal.

— Tu n'as pas un mot à dire, et surtout rien à tenter. Si

168

les gendarmes doivent être de quelque utilité, c'est en vous mettant sous les verrous, toi et tes amis, pour le traitement que vous avez infligé à Gilbert. Estime-toi heureux de ne pas être dénoncé pour le crime que tu as commis. C'est un crime que de retenir et de terroriser, voire de torturer, un de ses prochains. Tu n'as pas à faire la loi, encore moins la justice. Je te conseille très fortement de nous laisser en paix.

Gilbert n'intervient pas. Il est pourtant le premier concerné. De voir soudain Georges désarmé, menacé lui ôte sa rancune. Jean-Philippe lui parle comme à un garde-chasse convaincu de braconnage. Sans hésiter à se servir de l'arme absolue : le mépris.

Bien qu'ayant été son tortionnaire, Georges ne lui était pas antipathique : il l'avait soudain pris pour un ennemi de classe. Pourquoi lui en faire grief? Le discours de Jean-Philippe, qui prétend le protéger, lui est insupportable. Il est soulagé d'entendre le chaudronnier héroïque lancer, avec un regard de haine absolue :

— Nous briserons votre solidarité avec les criminels nazis. Le peuple en fera justice. Et vous paierez, s'il le faut.

— Je ne paierai rien du tout, dit Jean-Philippe, hors de lui. Tu n'es pas un communiste, tu n'es pas un militant révolutionnaire, tu es un petit chef paranoïaque. Je ne reconnais en toi ni Aragon ni Eluard ni Vaillant-Couturier. Même Thorez aurait honte de toi s'il connaissait ta conduite. C'est à *L'Humanité* qu'il faudrait te dénoncer. Je te conseille vivement de rentrer sous ta tente et de ruminer ta colère, sans plus paraître devant moi. Dans le cas contraire, je te ferais immédiatement arrêter. Il y a encore des juges dans ce pays.

— Et des flics...

— Parfaitement. Pour mettre les furieux hors d'état de nuire.

— Et protéger les nazis.

Jean-Philippe hausse les épaules. Il ne cherche pas à convaincre, mais à tenir à distance.

— Je t'aurai prévenu.

A cet instant, la salle se vide. A-t-on crié « Au feu » ? Les dîneurs se précipitent sur la plage, où se succèdent les explosions. Les douze bateaux du port, coulés par les Anglais pour constituer un gigantesque ponton de débarquement, s'enflamment à deux minutes d'intervalle. Les coques sont martelées. Pas d'incendie sur les carcasses, mais les plaques de tôle, les longerons, les restes des superstructures sont volatilisés.

— Les fous de Sainte-Anne se sont tous échappés, dit Jean-Philippe. C'est le festival des déments.

Les gendarmes accourent, de toute la vitesse de leurs bottes, ils fendent la foule pour parvenir jusqu'à la jetée. Le maire les suit, hors d'haleine. Georges et ses camarades ont sauté dans les barques amarrées, qu'ils arrachent aux pêcheurs. Ils s'approchent des bateaux rouillés, en forçant sur les rames... Impossible de les en empêcher.

— Nous le tenons, dit Georges, il n'a pas pu s'enfuir. S'il s'échappe encore, il fera sauter la salle de bal.

Perdu dans la foule, un grand jeune homme suit à la jumelle les efforts des gendarmes, qui réquisitionnent un bateau de pêche pour contrôler l'accès aux navires échoués.

— Vont-ils renflouer les épaves ? demande une femme en robe de bal.

Le jeune homme ne répond rien. Un bonnet de marin dissimule ses cheveux blonds. Sans se presser il s'éloigne de la jetée et gagne les premières maisons de Graye-sur-Mer.

— Opération réussie, grince-t-il. Le dernier bal peut commencer.

La poursuite s'organise. Les gendarmes ont embarqué sur le petit bateau de pêche de Jean et de Fernand, en raison de l'urgence. Si l'on peut surprendre le terroriste, c'est en intervenant tout de suite. Jean, sa casquette de travers, a le don d'indisposer le brigadier. Il a répondu avec mauvaise humeur à la réquisition. Il n'avait pas assez de mazout dans son réservoir, prétendait-il. Qu'importe, avait dit le second gendarme, le patron de la Grande-Marée disposait d'un stock. Il en fournirait volontiers.

Les yeux clairs du vieux marin tentent de se repérer dans la brume nocturne. Les explosions ont cessé depuis longtemps. Les douze épaves ont lancé des éclairs, avant de retomber dans l'obscurité. On ne peut se guider que sur les feux marquant l'embouchure de la Seulles. Jean sait fort bien que Richard est parti depuis longtemps, qu'il a assisté de loin aux premières explosions, ayant réglé avec soin son festival pyrotechnique. Ils n'ont pas la moindre chance de le rejoindre en mer. Les gendarmes ne veulent pas l'admettre ; ils s'en tiennent à une seule version des faits : l'homme venait du large. Il est reparti de la même manière. Ils déplorent que le bateau n'ait pas de projecteurs.

— Ce n'est pas une vedette de la marine, bougonne Jean. Vous n'aviez qu'à alerter la Royale pour votre course-poursuite, ou bien les douanes. Nous ne sommes que de paisibles pêcheurs.

Le moteur chauffe, donne des signes de fatigue. Jean navigue à l'estime, tenant le cap de la sortie du port, entre les ruines fumantes des navires de Churchill. Les deux coques de noix montées par Georges et ses amis apparaissent à bâbord, fouillant aussi l'obscurité. La mer, assez grosse, les secoue furieusement.

— Ils n'iront pas loin, dit Jean au brigadier. Le courant va les emporter vers le rocher Germain. Les deux barques seront échouées. Deux épaves de plus. Qui paiera ?

— Qui sont-ils ?

— Des bénévoles, répond prudemment Jean en tirant sur sa pipe. J'ai cru en reconnaître un. Des campeurs de la plage. Ils n'ont jamais piloté, c'est sûr.

Georges godille de son mieux pour s'éloigner de la barque montée par les gendarmes, s'attirant les railleries des pêcheurs. Jean s'empare d'un porte-voix :

— Souquez à bâbord et marchez droit sur le port. Vous allez vous échouer !

Le gendarme arrache l'instrument et répète l'ordre dans son langage, sans complaisance. Georges, au lieu de suivre la direction imposée, s'en écarte. Il veut à tout prix poursuivre Richard dans la mer houleuse. Le bateau de Jean doit amorcer un mouvement circulaire pour lui couper toute issue vers le large. Le brigadier contraint Fernand à tirer une fusée d'alarme.

— Ils sont en danger, dit-il. Ils doivent rentrer.

Les marins du port, témoins de cette étrange poursuite navale, où les concurrents se font la course en laissant échapper leur proie, mettent des barques à la mer pour répondre au signal de détresse. La foule reste massée sur le bord de mer, pour ne rien perdre du spectacle. A-t-on repéré le terroriste ? Va-t-il être lynché sur la grève ? On entend, dans les groupes, des voix hostiles et même des cris de mort. Pourquoi avoir tant attendu pour purger la côte des indésirables ? Deux ans après la guerre, le désordre n'a pas cessé. Intolérable ! disent les Normands. Ces gens-là ne sont pas du pays. Ils polluent les plages, les rendent dangereuses, avec leurs trafics. Pourquoi les gendarmes ne sont-ils pas plus nombreux ? s'emporte une voix dans la foule.

— Tous en Indochine, répond une femme boulotte, qui mange une glace à la crème Chantilly. Le mari de ma voisine est parti. Il était temps. La voisine est partie avec. On leur aurait cherché des noises à la Libération.

— On a poursuivi tout le monde, dit une autre, qui

serre contre son cœur un caniche nain. Pas étonnant qu'il n'y ait plus ni flics ni curés. Un pays entier livré aux sauvages, c'est un monde !

— Prenez-le vivant, dit un cultivateur en achevant son sandwich aux rillettes. Nous voulons voir sa bobine.

Les marins sont partis. Une des barques allume un projecteur, les autres se reconnaissent à leurs fanaux de couleur.

— Ils auront vite fait de le ramener, dit le mangeur de rillettes.

Une deuxième fusée d'alarme éclaire la rade. On aperçoit les petites barques, perdues dans un carrousel de bateaux. Personne à terre ne peut comprendre la situation. Certains pensent que le criminel est isolé au centre du combat naval, qu'on veut le contraindre à se rendre.

— Pourquoi les gendarmes ne tirent-ils pas au revolver ? dit la dame au caniche. Pas d'égards pour ces voyous ! Quand on pense au nombre de braves gens qui sont morts sur cette plage !

On entend un coup de feu.

— Première sommation, dit le Normand. Les feux de salve ne vont pas tarder.

Le brigadier vient en effet de tirer un coup de semonce, mais c'est pour obliger Georges et ses amis à regagner le port.

— Georges ! crie Jean le pêcheur dans le porte-voix, suis-moi sans discuter. Nous faisons route vers le blockhaus de la Seulles. Vous allez y débarquer. Votre sécurité est en jeu.

Il semble que les « foulards rouges » obéissent enfin car la flottille, derrière la grande barque, prend la direction de l'estuaire, longeant la côte. Loin de se calmer, la foule se porte en masse dans cette direction, vociférant de plus belle. Le Normand s'époumone, à la tête des manifestants :

— On veut nous enlever l'assassin, crie-t-il. Il faut les en empêcher.

Les femmes ne sont pas les moins ardentes à hurler des cris de mort. Aucun châtiment n'est trop dur pour le dévastateur d'épaves, le nettoyeur de blockhaus. Il veut enlever au pays ses souvenirs. Qu'il meure ! Il finirait par faire sauter les rares maisons épargnées par la guerre. Assez de sang, assez de bruit !

Les gendarmes débarquent les premiers, pour écarter la foule. Ils sont très vite impuissants. Jean a compris tout de suite qu'on prenait les campeurs pour des terroristes. Passant d'un bord à l'autre, il se dirige vers la barque de Georges.

— Suis-moi, passe le mot d'ordre aux camarades.

La flottille qui accoste entretient la confusion. Les quatre jeunes gens, dans l'obscurité, se hissent sur la coquille de noix de Georges, dont le pêcheur a pris les commandes. La brume est si dense à l'embouchure de la Seulles qu'on s'aperçoit trop tard de leur disparition. Quand on entend le brigadier hurler dans le porte-voix, les fugitifs se sont déjà réfugiés à l'intérieur du blockhaus sinistré.

— Ils ne viendront pas nous chercher ici, dit Jean. Vous devez dormir là, ils vous feraient un mauvais parti. Je vous apporterai des couvertures.

— C'est un comble, hurle Georges. Ils protègent un criminel !

Jean hausse les épaules. Le vieux militant en a vu d'autres. Il connaît la versatilité de la foule, l'impulsivité de ses concitoyens, qui ont tous souffert de la guerre. Ils n'ont pas de tendresse pour les étrangers, même s'ils portent des foulards rouges. Au contraire, ils reprochent aux communistes de continuer la guerre par d'autres moyens, les grèves, les insurrections. Ils veulent de l'ordre et le retour à la paix des gendarmes. Même s'ils sont de gauche.

— Tu n'as pas le droit, dit-il à Georges, de provoquer la colère populaire. Nous devons marcher dans le sens de ce qu'ils désirent. Ce type, Richard, doit disparaître, je suis d'accord. Ils ne le connaissent pas, les gendarmes non plus. Nous sommes les seuls à pouvoir l'identifier. Enfin presque.

— Pourquoi nous empêcher de le poursuivre ?

— Ce n'est pas ton rôle, Georges. Tu oublies la période des règlements de comptes. Tu ne l'as pas connue. Personne n'en veut plus, nous les premiers. On nous a attribué tous les crimes. Chaque fois qu'un petit groupe descendait un buraliste, un marchand de fromages ou un paysan pour le piller, on nous mettait dans le coup. C'est fini, tu entends ? La justice est ce qu'elle est, mais c'est celle du pays. A.vous autres de manifester pour qu'elle soit loyale et qu'elle aille jusqu'au bout.

— Tu veux rire ? Ils lui échapperont tous. Les juges n'ont pas changé, les gendarmes non plus.

Georges a du respect pour le pêcheur, un ancien volontaire des Brigades d'Espagne, arrêté pendant la guerre sur ordre du gouvernement Reynaud pour activité militante, responsable des FTP pour les sabotages, sur les arrières de la ligne fortifiée allemande. Prêt à reprendre son sac bourré de dynamite si les fascistes reviennent au pouvoir, à la faveur de la guerre froide.

Il rejoint Jean, devant l'embrasure du fortin.

— Tu vois, les lumières sont éteintes. Les camarades sont rentrés au port. Les gendarmes enquêtent en ville, la foule est revenue sur la plage. Vous ne serez pas lynchés ce soir. Cela devrait te servir de leçon.

— Tu aurais dû nous livrer aux gendarmes. Le Parti aurait organisé notre défense.

— Ils vous auraient chargés à mort. Ils ont besoin d'un coupable. La foule l'exige, leur colonel aussi. Ces attentats sans victimes inquiètent plus que les actes criminels. Ils semblent le fait d'une bande organisée. Les communistes sont une belle cible : furieux d'être écartés du pouvoir, ils veulent créer un climat d'insécurité. Qui peut imaginer un terroriste fou qui agit presque par plaisir ? Vous étiez en mer au moment de l'incident. Vous avez volé des barques sans demander l'avis des pêcheurs. Vous n'avez pas obéi aux injonctions. Et vous portez des foulards rouges ! Quel beau dossier pour le juge d'instruction, qui exècre le Parti ! Vous n'en sortiriez plus. Il n'est même pas sûr que nos journaux déclencheraient une campagne comme pour Henri Martin. Vous n'êtes pas des mutins héroïques qui refusent de partir pour l'Indochine. Vous êtes des caves, des obscurs, des inattendus. On ne peut rien faire de types qui poursuivent un fantôme que personne ne connaît, et qui n'est pas clairement identifié. Même le Parti vous oublierait. On vous ferait moisir dans les geôles de la centrale de Caen. Après tant de patriotes. Vous attendriez deux ans votre procès.

— Et pendant ce temps-là, Richard court toujours. Qui l'arrêtera ?

Une barque accoste au pied du blockhaus. Un signal de Wonder.

— C'est Fernand, dit Jean à voix basse. Donne-moi ta lampe.

Il envoie la réponse et descend les marches de béton. L'autre lui passe des couvertures. Il a prévenu ses désirs.

— Ils ne peuvent pas rentrer, dit-il. Les gens sont surexcités. On les prend pour les auteurs des attentats. Le bruit a couru sur la plage.

— Qui l'a répandu ?

— Les gendarmes. Ils n'ont rien dit, mais ils ont enquêté sur eux, posé mille questions, d'abord au patron de la Grande-Marée.

— Je vois, dit Jean. Vous êtes dans de mauvais draps. On exploite l'affaire contre vous.

— Il y a plus grave, dit Fernand. Puis-je parler devant eux ?

Jean fait signe à Georges de rentrer dans le bunker. Vieille habitude de la Résistance. Les messages doivent être adressés à leur unique destinataire. Impressionné par ce professionnalisme, le jeune homme obéit sans mot dire.

— Nous suivons depuis ce matin l'équipage d'une barque qui s'est amarrée au port. Des étrangers, venus probablement d'un cargo ancré à Bernières.

— Quel pavillon?

— Nous avons croisé autour, pas de pavillon. Pas de signe de reconnaissance, à part le port d'attache.

— Belfast? Dublin?

— Amsterdam.

— Des Hollandais?

— Peut-être, mais ils parlent quelques mots de français. Ils sont allés directement à la Grande-Marée.

— Je m'en doutais. Ils attendaient la livraison. Ils veulent savoir s'ils doivent rentrer bredouilles. Ont-ils téléphoné?

— Nous avons demandé à Suzanne. Elle affirme qu'ils ont appelé le Havre.

— A-t-elle pu suivre la conversation?

— Ils parlaient en allemand.

— Merci, Fernand.

Jean rentre précipitamment dans le bunker.

— Restez ici ce soir, dit-il à Georges. Nous allons vous évacuer clandestinement à l'aube. C'est plus grave que je ne le pensais.

— Le terroriste?

— Il n'est pas en cause. Pas seulement lui. Tu serais étonné si tu connaissais sa véritable identité.

Furieux, Georges le prend à la gorge.

— J'ai du respect pour toi, dit-il, mais je te jure que tu vas parler.

Sans dire un mot, Fernand lui pique les côtes de son couteau.

— Je te conseille de te calmer, dit Jean. Ce type ne doit

177

plus t'intéresser. Il est pris dans le règlement de comptes d'une bande fasciste. Il ne peut pas y échapper. Mais c'est toi qui porterais le chapeau de son assassinat.

Le bal avait repris à la Grande-Marée, avec un public clairsemé. Serge était sorti pour assister, du haut de la promenade, à l'étrange naumachie. Les allées et venues des gendarmes l'avaient intrigué. Il était surtout perplexe de la disparition des « foulards rouges », qui n'avaient pas reparu à leur camping. Quand il réalisa que la foule les prenait pour des terroristes, il ne voulut pas en savoir plus. Ne risquait-il pas, en posant des questions, d'être traité lui-même en suspect ? Les gens du cru n'avaient que trop tendance à laisser exploser leur haine contre les étrangers, et particulièrement contre les Parisiens en tenue de campeurs. Il rejoignit la Grande-Marée, sans attendre le retour sur la jetée de la maréchaussée.

Jean-Philippe et Gilbert n'avaient pas quitté leur table, dans la salle déserte. Avaient-ils envie de s'expliquer ? Gilbert ne pouvait sortir de sa bouderie. Il en voulait à son ami d'avoir humilié Georges, de l'avoir réduit au silence. Il est sincère et courageux, se disait-il. Fou, sans doute, mais d'une folie qui impose des égards. On ne traite pas un homme de cœur de la sorte. Comment en faire reproche à Jean-Philippe ? Ne l'avait-il pas défendu contre les mauvais procédés de ce fanatique ? Pouvait-il adorer son bourreau, qui l'avait attaché à des chaînes toute une nuit dans l'épave d'un char ?

L'absurdité de la situation le rendait muet et malheureux. Une fois de plus, son embarras tenait à ce qu'il n'était pas reconnu. Il avait été rejeté au milieu du gué, faute d'avoir pris le parti d'abandonner ses compagnons pour suivre les camarades. Pouvait-il en faire grief à son voisin ? Jean-Philippe fumait des Camel, sans désemparer, il ne lui avait pas échappé que le patron de la Grande-

Marée, au lieu de s'intéresser aux mouvements de la foule, parlait à voix basse au bar avec des marins étrangers, buveurs de bière blonde.

Le retour de Serge et des amateurs de bals populaires fut un soulagement. L'orchestre reprit et, pour réchauffer l'ambiance, l'accordéoniste chanta *Étoile des neiges*.

— Les Rouges n'ont pas reparu, dit Serge.

— Ils auront poursuivi leur chasse de nuit.

— C'était eux le gibier, les gendarmes les ont cherchés toute la nuit. Ils les prennent pour des complices.

Jean-Philippe ne quittait pas des yeux les marins du bar, qui sortaient par la cuisine, sans se retourner.

— Cela n'est pas naturel, estime-t-il. Ils auront été dénoncés. Je crois qu'il est temps de larguer les amarres, sous peine de tomber nous-mêmes dans le pétrin.

— Rien ne presse, lance Gilbert, inquiet soudain du sort de Georges. En partant, nous passerions pour suspects.

— Je crois qu'il a raison, conclut Serge.

Gilbert l'aperçut le premier. En entrant dans la salle, elle fit glisser de ses épaules une cape de couleur sombre qui couvrait sa robe de bal. Elle était coiffée avec soin, un collier d'or soulignait son décolleté. Ses yeux discrètement fardés parcouraient la salle dans la demi-pénombre. Au milieu de la piste, elle sourit à Gilbert, lui tendit les bras pour l'inviter à valser. Il se précipita. Clélia était de retour, parée comme pour le bal du comte Mosca.

— Je t'ai attendu toute la nuit, dit-elle à son oreille. J'étais dans la foule. Les gendarmes l'ont-ils arrêté ?

— Je ne crois pas. Ce n'est pas lui qu'ils poursuivent. Ils ignorent jusqu'à son existence.

— Dieu soit loué, soupire-t-elle.

Ils dansaient lentement la musette, comme s'ils entendaient une autre musique, celle de Strauss par exemple, ou la valse de *La Tosca*. Elle n'avait pas envie de se laisser emporter dans un tourbillon épuisant. Elle était venue pour parler de lui...

Il le sentit parfaitement. A sa grande surprise, il n'en concevait aucun ressentiment, pas la moindre jalousie vulgaire. Georges était en danger, mais plus encore Richard, que tous avaient oublié. Il se sentait si coupable des malheurs de Georges, qu'il lui fut presque doux d'évoquer avec Clélia le sort tragique de Richard. Cette angoisse les rapprochait, les rendait complices. Qui d'autre pouvait ce soir s'intéresser au solitaire?

L'accordéon, sans transition, modula un tango. Les danseurs devenaient nombreux. Ils n'étaient plus isolés sur la piste et pouvaient se rapprocher l'un de l'autre. Gilbert n'osait affronter le regard de Clélia. Il redoutait qu'elle lui parle. Son abandon était proche. La danse les rapprochait moins par le contact des corps que par la commune adhésion au rythme, qui ne souffrait aucune hésitation. La jeune fille entrait dans la danse en se livrant à lui, calquant ses moindres mouvements sur les siens, dans une parfaite homothétie. Gilbert n'en était pas surpris. Ils étaient unis comme ces deux demi-sphères, qui, dans Platon, se retrouvent pour tourner ensemble, dans une sorte d'état de grâce. La danse a ses mystères que la raison ne peut comprendre. L'âme? Le corps? Clélia n'était pas à lui, elle était subitement son corps et son âme. Ils ne faisaient qu'un.

Douce complicité, qui n'avait pas besoin des mots. La musique changeait de rythme. Ils ne pouvaient se résoudre à s'éloigner l'un de l'autre. Ils dansaient tout de la même manière, attendant patiemment, dans la criaillerie des rumbas, le retour des slows qui leur permettraient de retrouver l'harmonie. Jean-Philippe et Serge étaient à peine surpris par le retour de la Thérèse de Lisieux. La nuit était si fertile en événements que celui-là se passait de commentaire. S'intéresse-t-on à la vie des couples dans le naufrage d'un navire?

Une deuxième entrée, plus discrète les arracha à leur torpeur. Dans son inconscient, Gilbert réalisa que ses amis se levaient, brusquement, et quittaient leur table pour venir à lui.

— Regarde au fond de la salle, lui dirent-ils, à gauche du bar.

Il la reconnut aussitôt. C'était elle. La femme blonde au tailleur de cuir gris. Elle n'était pas seule. Deux hommes l'accompagnaient.

— Il faut partir, dit Jean-Philippe. Rejoignez-nous sans vous faire remarquer.

Thérèse ne posa aucune question. Elle comprit que le danger rôdait.

— Viens avec nous, lui dit Gilbert. Tu ne peux rentrer chez toi. Il ne faut pas nous séparer.

En dansant, ils gagnèrent le bord de la piste et sortirent aussitôt, serrés l'un contre l'autre. L'étrangère les suivit des yeux. Elle avait reconnu Gilbert.

— Qui est cette femme ? demanda Thérèse.

Ils étaient rentrés au camp. Serge et Jean-Philippe s'étaient glissés les premiers dans leurs sacs de couchage. Gilbert ranimait le foyer, enveloppant Thérèse d'une couverture.

— Un mauvais génie. Richard est en danger.

Il parlait à voix basse, pour ne pas mettre ses compagnons dans la confidence. Thérèse devait savoir.

— Il faut le prévenir. Ils viennent pour le tuer.

— Le moyen de le joindre ?

Il s'en voulut de cette lâcheté. Il avait laissé Richard devant l'entrée du château de Vaux. Sans doute s'y cachait-il. Mais il songeait d'abord à protéger Thérèse.

— Je t'en prie, lui dit-elle, il est en grand danger. Nous n'avons pas le droit de ne pas le prévenir. Tu sais où il se cache ?

— Pas plus que toi, répondit Gilbert, fermement.

Pourtant, il est pris de doute. Comment pourrait-elle l'estimer, si elle mesurait sa défaillance ? Il la perdrait à coup sûr s'il ne l'aidait pas à sauver Richard. L'ancien chef de la patrouille des Lions serait-il de nouveau incapable de jouer le grand jeu scout ? Fabuleux parcours à signes de piste : retrouver la terreur des plages de l'Ouest, le manitou des bunkers, le cacique des vallées perdues. Ils sont les seuls à parler sa langue, à pouvoir s'entretenir avec lui, s'ils retrouvent sa trace.

D'abord, se changer, enlever les habits de bal, se déguiser en éclaireurs. Gilbert sort son sac de la tente en enjambant ses camarades endormis. Il enfile un short, tend à Thérèse son pantalon de velours. Il détourne pudiquement les yeux quand elle retire, tout près du feu pour ne pas grelotter de froid, sa robe de bal. Il la lui prend des mains et la dépose avec délicatesse sur la toile de tente. Un pull de marin complète sa tenue. Ses cheveux courts, sous une casquette de cycliste, lui donnent l'allure d'un garçon. Pour qu'elle n'ait pas froid à la gorge, il noue délicatement à son cou le foulard rouge. Elle est symboliquement sienne.

Ils sont tous les deux chaussés d'espadrilles de corde qui ne font aucun bruit. Gilbert lui a donné les siennes et a emprunté celles de Jean-Philippe, qui séchaient autour du brasier. Son couteau scout est à sa ceinture. Il ne lui manque rien pour engager l'action de commando. Pour ne pas être en reste, elle garnit le sac de provisions de bouche, prévoyant une longue traque.

Le jeu commence par un repérage du terrain de l'ennemi. Gilbert l'entraîne vers le camping de la plage. Ils s'approchent sans bruit. La promenade est déserte, la vitrine de la Grande-Marée condamnée par un épais rideau. Gilbert longe les files de tentes bariolées qui se touchent presque sur la partie supérieure de la plage, proche de la jetée. Il recherche méthodiquement les tentes rouges des amis de Georges. Il passe et repasse en revue les campements. Il faut croire qu'on le remarque : un barbu sort en silence de sa tente, un piolet à la main, le prenant pour un rôdeur.

— Du calme, dit Gilbert, nous cherchons Georges.

Il reconnaît un des joueurs de volley-ball.

— Ils sont partis dans la journée, dit le barbu, sans méfiance. Leurs tentes ont laissé un grand vide, ajoute-t-il en désignant un carré abandonné, chargé de plusieurs tas d'ordures. Ils avaient le feu aux fesses et les flics à leurs trousses. Ils n'ont pas eu le temps de laisser la place propre. Nous nettoierons.

— Où sont-ils allés ?

— Aucune idée. Les fugitifs laissent rarement leur adresse. Ils sont accusés à tort, tout le monde le sait.

— Bien sûr, dit Gilbert, pensif.

Il n'est qu'à demi rassuré. Il connaît l'obstination du chaudronnier de chez Renault. Il a pu planter sa tente plus loin, en dehors des limites de la brigade de gendarmes, et poursuivre sa traque sans relâche. Dans un premier temps, il a dû s'éloigner. Ils ont donc sur lui un avantage.

— Un marin leur donnait des indications avant leur départ, assure l'homme. Une demi-heure après, les gendarmes étaient sur place. Ils nous ont tous questionnés. Personne ne leur a donné la moindre piste.

Gilbert entraîne Thérèse vers le bunker qui domine l'embouchure de la Seulles. Il repère les nombreuses traces de pas sur le sable, inspecte la salle des armes avec sa pile électrique. Thérèse, qui se prend au jeu, désigne un gobelet de fer-blanc qui brille au pied de l'embrasure. Gilbert le ramasse, il est encore tiède.

— Quelqu'un est passé par là, dit-il. Il n'est pas sûr que ce soit Richard.

Thérèse désigne une inscription en anglais sur le béton, au crayon gras : *Trust god, not be afraid.*

Gilbert la complète.

— Robert Browning : *The best is yet to be.*

Est-ce un message pour eux seuls ? Gilbert n'ose l'espérer. Le fugitif prépare-t-il une sorte d'apothéose, un spectacle final qui lui permettrait de rejoindre triomphalement l'Olympe, le Walhalla du Hollandais de Wagner ? Est-ce un signe de l'au-delà ? Le terroriste a-t-il fait le grand saut ?

— Le bunker est plein de graffitis, remarque Thérèse. Celui-là n'a pas plus de signification que les autres.

— Il est seulement plus frais. Je jurerais qu'il a été écrit cette nuit. Par un poète.

— Un Américain, un Anglais, ce Browning ?...

— Un Anglais, dit Gilbert. Cela ne veut rien dire. Richard est-il allemand, hollandais, normand ou saxon ? Lancelot du Lac existe dans toutes les cultures d'Occident.

— Partons. Il a sans doute assisté au spectacle d'ici. C'est la meilleure loge du théâtre. Mais il a filé depuis longtemps.

Ils marchent pieds nus le long de la plage. Thérèse, qui frissonne, s'est rapprochée de Gilbert et le tient par la taille. Il observe les traces de pas en fouillant le sol de sa lampe. La clarté de la lune est faible, en cette fin de nuit. Pas la moindre trace du dinghy au large du bois de Vaux ? Ils s'asseyent, épuisés, attendant que la marée descendante reporte la ligne du rivage loin vers le nord, près du rocher Germain.

— Il faut aller voir, dit Gilbert. Il peut avoir prévu une cache.

Pas le moindre indice dans les rochers qui affleurent. Rien non plus à la Valette, vers l'ouest. Ils reviennent sur le sable sec et s'étendent, harassés de sommeil, l'un près de l'autre. Les premiers filaments de l'aurore dessinent des hachures au-dessus de Courseulles.

184

— Il ne faut pas rester ici, dit Thérèse. On pourrait nous surprendre. Les plages vont être passées au peigne fin.

— *Ces tisseuses têtues qui sans cesse interrogent...*

Gilbert, les yeux fermés, lui caresse les cheveux. Ils se lèvent et reprennent la chasse. Le bois n'est pas loin.

— Battons les taillis. La dernière fois que je l'ai vu, il a disparu à l'orée des grands arbres. Un souterrain, peut-être.

Le vent du large a balayé sur le sable les traces de pas. Les taillis s'épaississent, deviennent par endroits ronceraies, comme s'ils abritaient des constructions abandonnées depuis l'aube des temps.

— J'ai trouvé ! crie Thérèse en sautant de joie.

Une couverture à peine visible, dissimulée par les ronces, à trois cents mètres du rivage. Le taillis est exceptionnellement dense à cet endroit, comme s'il cachait un puits naturel.

— Prends garde, dit Gilbert. L'accès peut être défendu par des mines.

Une vedette croise au large, braquant ses projecteurs sur le rivage. Gilbert se baisse, entraînant la jeune fille.

— Les gendarmes ont demandé des renforts, remarque-t-il. La journée sera chaude.

Elle a déjà trouvé l'entrée du souterrain. Assez large pour permettre à un homme de s'y engager. Cela peut passer pour un terrier de blaireau ou de renard. Elle avance en rampant. Gilbert, mort de peur, la suit. Ils se retrouvent assez vite dans un corridor régulier, creusé dans la pierre, suintant d'humidité. Les traces sont nombreuses sur la boue, des empreintes fraîches, dans les deux sens.

— Il est passé par-là récemment, affirme Gilbert, ex-spécialiste es jeux de piste.

La progression est difficile. Le boyau est à plusieurs reprises étranglé par des éboulis. Il faut de nouveau ramper dans la boue. Thérèse annonce la fin de l'épreuve : elle parvient presque à se redresser dans un vrai couloir de pierre. Gilbert braque sa lampe : ils sont au pied d'une forteresse. Deux dalles semblent avoir été descellées dans la muraille arrondie d'une tour.

— C'est par-là qu'il faut entrer, dit-il.

Mais le faisceau lumineux lui révèle un abîme : en penchant sa tête dans l'ouverture, il s'aperçoit que la muraille plonge ses racines beaucoup plus bas. Des oubliettes ? Vers le haut, pas le moindre escalier.

— Tiens-moi les jambes, dit-il, il faut y voir plus clair.

Si les marches pour grimper sont absentes, il remarque, au-dessous de l'ouverture, une série de pierres inégales qui constituent une ligne brisée donnant accès à une plate-forme.

— Il faudrait se mettre en cordée, dit-il. Si Richard parvient à passer, nous pouvons aussi nous y risquer.

Gilbert décide de tenter l'aventure. Comment perdre la face si près du but ? Elle l'aide à prendre pied sur la première pierre, en l'éclairant soigneusement. Il descend prudemment, se plaque contre la muraille. Les pierres ne sont pas polies, mais rêches et inégales. Cela le rassure. Il risque moins de glisser. Elles s'élargissent progressivement, après les deux premiers mètres. Il se demande comment Thérèse peut garder son sang-froid. On entend monter, du fond de la tour, les piaillements aigus des rats. Il lui demande d'éclairer. On ne distingue rien d'autre, à dix mètres, qu'un éboulis de pierre. Il sort son couteau de la gaine, gratte autour des pierres scellées. Le mortier se dissout en poussière. Une marche instable peut le faire basculer dans le vide.

— Plus vite, lui dit Thérèse. Tu es tout près de la plate-forme.

Il ne peut pas reculer. Il songe avec terreur qu'il n'aurait pas la force de remonter. Elle ne pourrait lui offrir le moindre secours. Il s'en veut de penser à lui. Comment pourra-t-elle assurer sa descente, s'il ne l'éclaire pas ? Jamais il n'a accepté d'être soumis à une telle épreuve physique. Il se souvient du pont de singes du fort de Verrières, du chef scout que le contraignait à passer. Rien de comparable. Il était plus que seul dans l'épreuve. Il avait charge d'âme. C'est lui qui devait aider.

Avec une prudence encore accrue, il avance son pied vers l'avant-dernière pierre. Par chance, elle tient bon, bien qu'elle soit plus courte que les autres. Il se retrouve assez facilement, avance déjà le pied vers la dernière étape, un silex aigu, biseauté, bien planté dans la muraille. La pierre bascule sous sa chaussure, s'incline vers le vide. La panique le gagne. Il reste immobile, accroché aux cailloux d'en haut, sans pouvoir bouger. La voix de Thérèse le rassure.

— Assure la prise. La pierre doit tenir. Elle ne bougera pas davantage.

Elle désigne une anfractuosité juste au-dessus de la plate-forme, qui peut permettre de se rétablir. Il suit ses indications à la lettre. Quand il s'échoue sur la plate-forme, il se cale contre la muraille, pour tenter de retrouver ses forces.

Thérèse a déjà amorcé sa descente, par ses propres moyens. Elle tient la lampe entre ses dents, éclairant les prises l'une après l'autre. Sans hésiter, elle franchit les obstacles, dans un temps record. Il est à peine remis qu'elle l'a rejoint sur la pierre plate très large qui donne accès à une porte d'entrée en fer.

— Nous sommes arrivés, dit-elle. Si messire veut bien se donner la peine...

La lourde porte grince sur ses gonds. Ils doivent peser de toutes leurs forces pour l'entrouvrir, se retrouvent dans un étroit couloir souterrain, solidement maçonné, constitué de pierres plates presque parfaitement taillées. Gilbert fait signe à Thérèse de marcher en silence, sans heurter la paroi. Il ne faut pas donner l'alerte. Si Richard entend le moindre bruit, il sera aussitôt sur ses gardes, prêt à tirer. Le souterrain bifurque. Ils prennent à droite. Thérèse, qui marche en tête, pousse un cri aussitôt réprimé, mais amplifié par la voûte de pierre : le sol se dérobe soudain, le couloir conduit à un puits. Gilbert l'a retenue au bord du précipice.

A gauche, une deuxième porte de fer. Est-elle piégée, surmontée de grenades ou de mines ? Gilbert a lu des récits de guerre en Lorraine où les Allemands battant en retraite disposaient ainsi des explosifs dans les maisons qu'ils abandonnaient, des fils de fer camouflés sur les pas de porte, qui entraînaient la mort de ceux qui tentaient d'entrer.

— Le mieux, dit Thérèse, est de frapper très fort et d'appeler, de se faire reconnaître. Sommes-nous ses ennemis ?

Ils organisent un vacarme assourdissant contre la porte étroite, où se trouve ménagé dans la masse métallique un guichet qui semble en parfait état. Gilbert cogne du pommeau de son poignard. Aucune réaction. Il pousse la porte qui s'ouvre facilement, elle a été huilée. Prudemment, ils lancent à l'intérieur des pierres qui rebondissent sur le sol dallé. Gilbert entre le premier, surmontant sa peur. Pas un bruit. Un nouveau couloir donne accès à une vaste pièce dont les voûtes en ogive sont soutenues par d'épais piliers. Elle est intacte et semble habitée. Un grand sommier jeté à même le sol est recouvert de fourrures presque neuves. Des coffres de bois le long des parois. Ils portent la marque de religieuses d'une congrégation de Caen revenues d'Afrique et d'Asie. Leurs noms figurent encore sur les étiquettes. Thérèse ne peut se retenir d'ouvrir les malles : elle découvre dans la première des douzaines de parures d'oreillers, des draps de lit brodés, des couvertures kaki de l'armée américaine. Une autre contient des couverts en argent, des porcelaines finement armoriées. La plupart sont bourrées de rations militaires ou de denrées de longue conservation, boîtes de biscuits et conserves. Ils sont bien dans le repaire du terroriste.

Pas le moindre objet personnel, pas de carnet, de cahier, de livret, de passeport ou de papiers militaires. Ils fouillent la pièce méthodiquement, sans rien oublier. Ils découvrent un jerricane rempli d'eau douce, un nécessaire de rasage, des effets civils en grand nombre, et même des barbes postiches. Ni photos-souvenirs ni livre de chevet. Derrière une tenture, une sorte de loggia qui donne sur un vaste conduit de cheminée. L'intérieur est aménagé : des pierres disposées en couronne permettent de grimper. Malgré leur fatigue, les jeunes gens s'y risquent : ils abordent une deuxième salle, plus basse que la première, véritable entrepôt de matériel militaire : Gilbert suppose que les mortiers et les bazookas sont de provenance américaine, mais des inscriptions allemandes sont parfois lisibles sur les engins. Des objets étranges gisent à terre, des caisses de roquettes auprès d'une sorte de canon marqué PIAP. D'autres ressemblent à des tromblons surmontés, à leur ouverture, de lourdes ogives. Gilbert, toujours premier en allemand à Henri-IV, déchiffre les inscriptions en rouge sur le tube : elles mettent en garde contre le danger de rejet de la flamme à la mise en service de l'engin. C'est un musée des horreurs de la guerre, des armes toujours disponibles qui représentent une fortune.

Thérèse ne veut pas rester une minute de plus dans cette antichambre de la mort. Elle redescend prudemment par le conduit de pierre. Elle s'est allongée sur le sommier, quand Gilbert la rejoint. Il n'a pas l'audace de la serrer dans ses bras. Il reste à ses côtés, les yeux ouverts. Ils demeurent en éveil. Contre lui, Gilbert sent battre très fort le cœur de Thérèse.

— Il a de quoi équiper plusieurs commandos, dit-il. S'il a laissé son trésor sans défense, c'est qu'il est parti sans espoir de retour. Surpris peut-être par une incursion de ses ennemis.

— Je ne suis pas de ton avis, avance Thérèse en réfléchissant à voix haute. Il me semble que s'il ne devait pas revenir, il aurait piégé sa retraite. Nous ne serions pas entrés aussi facilement. Il est peut-être tout près. Il suffit de l'attendre.

— Il rentrera avant la fin du jour. Il ne sort jamais que la nuit. Il doit être caché en quelque autre endroit. Comment a-t-il pu amasser seul un pareil arsenal?

— Qui te dit qu'il n'en a pas hérité? Les malles d'objets précieux ne sont sûrement pas le fruit de ses larcins. Le vois-tu revendre des dentelles ou des ciboires d'argent? Il aura découvert ce trésor abandonné par d'autres.

— Il était peut-être le gardien, le manipulateur d'explosifs qui les acheminait vers les clients. Les vrais maîtres ne sont pas au château.

— Je crois qu'il est le seul à connaître ce lieu. Il est dans une zone dangereuse, sensible. De vrais marchands d'armes l'auraient évacué depuis longtemps, s'ils en avaient apprécié exactement le contenu. On ne laisse pas dormir des armes de guerre, sous peine de les perdre à jamais.

Elle s'endort d'un coup. Il déploie sur elle une couverture de fourrure. Il entend soudain un bruit de voix dans le couloir. Inutile d'éveiller Thérèse. Richard, sans doute, est de retour. Il suffit de l'attendre sur le seuil, pour l'avertir de leur présence en criant son nom à voix forte.

Quand il ouvre la porte, il entend distinctement les voix. Il s'inquiète aussitôt. Richard a l'habitude d'agir seul. Des Français, à n'en pas douter. Les gendarmes? Les « foulards rouges »? Il bat en retraite précipitamment, réveille Thérèse en lui fermant la bouche de sa main. Ils se cachent, en toute hâte, derrière la tenture.

Elle risque un œil et aperçoit deux ombres, qui avancent prudemment vers le centre de la pièce. Le rayon d'une puissante torche éclaire les murs de pierre blanche.

— Il est parti, dit une voix. Tout est pour le mieux.

— Il faut faire sauter son repaire avant que les autres n'arrivent.

— Il aurait pu s'en charger lui-même. Il s'en chargera peut-être...

— Nous ne pouvons pas prendre ce risque.

Ils connaissent sans doute les lieux, car ils s'avancent vers la tenture, qu'ils balaient de leur lampe. Ils découvrent ainsi Gilbert et Thérèse.

— Il a pris des otages, dit le premier pêcheur, ce n'est pas dans sa manière.

— Je vous en prie, dit Gilbert en montrant ses mains nues. Nous ne sommes pas des otages. Nous sommes venus à sa recherche, comme vous.

Il a reconnu Jean le pêcheur et son ami Fernand. Il pressent que ceux-là ne sont pas un danger pour Richard.

Chapitre 8

Le bouquet final

LES KÉPIS BLEUS pullulent dans Courseulles, ameutés par la brigade en émoi : la presse locale, les grandes agences internationales se sont emparées de l'affaire. On ne trouve pas le pyromane sans visage qui fait sauter tous les bunkers de la côte, incendie les dépôts d'armes oubliés, nargue les enquêteurs. Les plus fins limiers de la surveillance du territoire sont à pied d'œuvre. Les journalistes d'investigation, dépêchés par les rédactions parisiennes, ne parviennent pas à attribuer au criminel des motivations claires. On se perd en conjectures.

La question posée le plus souvent est celle des armes : deux ans après la Libération, comment les autorités françaises, après les Alliés, ont-elles pu laisser subsister des dépôts aussi importants qui représentent pour la population un danger certain ? Il faut reprendre le nettoyage du mur de l'Atlantique autrement que par des enquêtes policières à grand spectacle destinées à boucler le pseudo-terroriste.

Ce dernier semble agir sans but. Il ne s'attaque pas à la population. On ne compte aucune victime. Il ne prend pas pour objectif des ouvrages en activité, des bâtiments administratifs, des dépôts de pétrole ou des lignes à haute tension. Il ne présente aucune revendication et ne semble se livrer à aucun trafic, puisqu'il détruit des stocks. Il est clair cependant que ses exactions sont un défi permanent à l'ordre public. Il importe de le mettre hors d'état de nuire. Les parlementaires normands sont alertés et accablent le préfet de reproches. Le gouvernement est intervenu pour qu'on fasse diligence. Des camions militaires d'un régiment du génie, avec des spécialistes des armements et du déminage, commencent à affluer sur la jetée.

Les campeurs ont replié les tentes et bouclé leurs sacs. Ils veulent tous oublier la plage maudite. Seuls les rares estivants restent sur place, pour se distraire avec une enquête qui promet d'être passionnante. La gendarmerie a interdit à quiconque de quitter Courseulles. Le moindre témoignage peut être précieux et la traque se poursuit à un rythme accéléré.

— Nous voilà pris au piège, gronde Jean-Philippe. Une si jolie petite plage...

De la dérision dans sa remarque. Il est en fait amusé par ce déploiement de forces, heureux de connaître le véritable auteur de ce gigantesque remue-ménage qui a, somme toute, atteint son but, s'il est vrai qu'il s'était tardivement décidé à déclencher dans Courseulles-sur-Mer une opération Typhon. Pour rien au monde Jean-Philippe n'aiderait les enquêteurs. Il s'ennuyait. Voilà que le tour pris par les événements le ravit. Il soupçonne ce Richard de ne pas avoir tiré ses dernières cartouches. Il attend avec impatience la suite du feuilleton.

Serge est plus perplexe. Il ne prend pas Richard pour un anarcho-surréaliste désireux de finir en beauté. Il est le seul à être entré dans un rapport professionnel avec le trafiquant. Il sait que celui-ci dispose de moyens considérables, qu'il empoche des sommes folles. Il soupçonne dans l'histoire une guerre des gangs. Il aimerait aider Richard — qu'il estime pour son courage — contre ses adversaires, en dénonçant ceux-ci aux policiers. Ne sont-ils pas installés à la Grande-Marée ? Mais il deviendrait le complice du « terroriste ». Il n'ose s'ouvrir à Jean-Philippe de ses soupçons. Il s'émerveille de le voir si calme, si détendu. Rien ne dit que Richard, pris au piège, ne va pas organiser dans la ville une corrida sanglante.

A leur grande surprise, la population n'aide pas les enquêteurs et s'abrite derrière un mutisme absolu. L'intervention des gens de Paris indigne. De quoi se mêlent ces journalistes ? Ils vont jeter le discrédit sur une plage qui ne demande qu'à attirer les baigneurs. Tant de bruit nuit à la réputation d'une station balnéaire. On dirige les gendarmes sur Bernières ou Saint-Aubin : de là seraient venus les terroristes. Serge est inquiet. On ne ménagerait pas un Parisien. Peut-être a-t-il été vu en compagnie de Richard. Il peut avoir été dénoncé. De lui-même, il a signalé aux gendarmes l'existence d'un étranger, qui a agressé leur campement. Le brigadier a mis cela sur le compte d'un rôdeur. Ils sont nombreux sur la côte.

Les compagnons de la dame du Havre ont disparu. Elle était la seule à prendre ses repas à l'hôtel, en tenue d'estivante. Serge était à la table voisine quand la police avait contrôlé son passeport. Elle venait d'Amsterdam, aux Pays-Bas. Nul n'avait posé de questions embarrassantes à cette riche étrangère que l'hôtelier accablait de prévenances.

Les inspecteurs de la Défense du territoire avaient longuement questionné le patron. Serge les avait vus entrer dans son bureau. Ils avaient ensuite téléphoné à Paris, pour demander du renfort. Leur mine soucieuse indiquait assez qu'ils considéraient l'enquête comme difficile. Ils refusaient de répondre aux questions des journalistes.

Les voitures étaient nombreuses dans la ville, conduites par des policiers ou des gens de presse. La traction avant noire venue du Havre avait disparu, sans doute discrètement remisée dans un garage fermé. Ses deux occupants étaient partis à pied, au petit matin, en direction de la plage. Ils avaient été contrôlés par la police. Leurs papiers étaient en règle. Serge les avait vus prendre la direction du port.

La vedette des douanes maritimes y relâchait en permanence, multipliant les incursions le long de la côte. Personne ne leur avait signalé qu'un cargo hollandais s'était ancré au large du rocher Germain. Ils étaient arrivés trop tard pour le surprendre. Serge avait entendu les douaniers parler au bar, discrètement questionnés par le patron. Ils n'avaient rien trouvé de suspect. Les barques de pêche restaient aux amarres. Personne n'avait pris le large. Les pêcheurs n'avaient rien observé de notable.

— Normal, disait le patron. Ils ne parlent jamais.

— Il leur arrive de causer, avait dit un marin. Quand ils ont intérêt à le faire.

— Ce n'est pas le cas, avait rétorqué le patron d'un air entendu. Vous ont-ils parlé des campeurs communistes, portant tous un foulard rouge, qui sont partis la nuit dernière avant le lever du jour pour une destination inconnue ?

Les douaniers étaient restés le nez dans leur verre. Que leur importaient les Jeunes Gardes ? Ces gens-là n'avaient pas de rapport avec la mer. Mais Serge avait retenu le propos. Il veut charger Georges, se dit-il. Ce n'est pas par hasard. Un coup se prépare et il doit en savoir long.

Il se souvint brusquement de la sortie très matinale des automobilistes du Havre. Un détail l'avait frappé : les poches de leurs vestes étaient anormalement gonflées, comme s'ils étaient armés.

Il est trop tard pour les suivre, se dit-il lâchement. Il n'en avait jamais eu l'intention. L'affaire le dépassait.

Dans la basse salle de la tour, Thérèse a allumé les bougies d'un chandelier en argent posé sur un coffre de missionnaire. Jean marche de long en large, jetant, de colère, sa casquette à terre.

— Où a-t-il pu partir ? Pourvu qu'il ne médite pas un nouveau coup. Il se fera prendre. Courseulles est infesté de flics.

— Mais pas Vaux, ni le Val-Saint-Gerbod, rectifie Fernand. Les gendarmes ne semblent pas franchir la Seulles, ni même pousser une pointe sur Bernières. Il a pu se cacher n'importe où.

Thérèse ne peut se fier aux pêcheurs. Elle se souvient de leur conversation sur la plage, quand elle était cachée derrière une barque. Ces gens-là sont engagés dans un combat dont elle ignore le but. Elle sait cependant que Richard n'est pas des leurs, même s'ils ont l'air de l'aider et de le protéger.

— Il a pu monter un feu de joie au blockhaus de la plage, dit Fernand. L'endroit est désert, il n'est pas encore surveillé.

— Le génie va s'en occuper. Leurs casseroles antimines sont déjà là.

— Avant qu'elles soient en place, Richard aura eu cent fois le temps d'agir. D'ailleurs les démineurs ne s'occupent que des abords immédiats du port. Ils passent au peigne fin le bunker de l'embouchure.

— Tout a sauté.

— Ils commencent par là. Cette fois, ils iront partout. Mais il leur faut du temps.

— J'hésite à partir à sa recherche, dit Jean.

Il s'assied sur le coffre au chandelier. La lumière creuse les rides de son visage buriné, fait ressortir ses cheveux blancs.

— Si nous partons, nous leur laissons le champ libre. Ils déménageront pour leur compte tout le trésor.

— Ils ne sont pas équipés et le moment serait mal choisi. Nous pouvons sortir en minant les accès.

— Si nous en avons le temps... Ils sont déjà sur le sentier de la guerre. Crois-moi, ces gens-là ne négligent rien.

Thérèse décide d'intervenir. D'une voix calme, presque basse, elle interpelle le vieux pêcheur :

— Vous ne pouvez prendre ce risque. Si, par malchance, vous ne rencontrez pas Richard, il reviendra au château et tombera dans votre piège. Nous devons l'attendre.

Jean dévisage la gamine. Il avait parlé librement devant elle, parce qu'il la considérait comme négligeable. Voilà qu'elle prétend sottement jouer un rôle dans l'affaire. Faut-il que ce bougre de Richard ait du charme pour avoir entraîné cette petite-bourgeoise dans son scénario catastrophe! Fernand n'ose parler. Il pense que la présence de ces gamins est un handicap de plus. Il connaît son camarade. Il ne les laissera pas en danger.

— Vous devez partir, dit Jean, bien qu'il ne soit pas sûr que cela soit encore possible. Suivez-nous.

Il a pris sa décision. Gilbert est trop accablé pour songer à contrarier Thérèse, qu'il suit depuis le début dans cette aventure qui risque de mal finir. Il sent que les pêcheurs, quels que soient leurs rapports avec Richard, sont leur seule chance de salut.

Ils grimpent dans la cheminée de pierre pour se regrouper dans la salle des armes. Jean fait signe à Fernand, qui redescend en chargeant deux mines dans son sac pour condamner le souterrain de la plage et la porte d'accès. Jean fait son choix dans le stock, passe à sa ceinture un pistolet automatique, vérifie les chargeurs de deux mitraillettes anglaises. Il les essaie dans la pièce. Gilbert se bouche les oreilles pour échapper au bruit assourdissant. Thérèse demande à tester la deuxième mitraillette. Le marin s'y refuse.

— Vous n'êtes pas dans les unités combattantes, lui dit-il. (Bourrant ses poches de chargeurs, il tend l'autre arme à Fernand, qui les a rejoints.) Nous sortirons par le château, explique-t-il à Thérèse.

Gilbert s'est emparé avec discrétion d'un pistolet et d'une boîte de balles. Il les glisse dans ses poches sans se faire remarquer. Il se souvient de son chef scout, à la troupe de Saint-Étienne-du-Mont, qui organisait des après-midi de tir au pied des arbres de la forêt de Meudon. Les leçons risquent aujourd'hui de servir. Il regrette de ne pas avoir été jadis plus attentif.

— Nous reviendrons pour détruire le stock, dit Jean. Le plus urgent est d'assurer la retraite de ces deux-là et de repérer l'ennemi.

Le calme de Thérèse l'impressionne. Il n'a pas un regard pour Gilbert, qu'il prend pour un gosse. Il connaît la tour comme sa poche. Sans doute un repaire de la Résistance, se dit Gilbert, qui constate à quel point les pêcheurs aux cheveux blancs se déplacent avec une précision d'hommes de guerre. Ils gagnent l'extrémité obscure de la salle, désignent une large pierre dans le plafond.

— Approche l'échelle.

Fernand grimpe le premier, fait pivoter la lourde dalle en appuyant des deux mains sur l'un de ses côtés. Elle livre un passage étroit vers l'immense salle des gardes, au rez-de-chaussée de la haute tour.

— Retire l'échelle, dit Jean à Fernand. Il faut couper notre retraite.

— S'ils passent par en bas, ils sautent.

— On ne sait jamais. Les mines peuvent être enrhumées, depuis le temps...

Prestement, Thérèse escalade l'escalier de la tour, qui conduit au chemin de ronde.

— Prenez garde, lui lance Jean. Les pierres peuvent s'effondrer.

Elle est déjà en haut des murailles, scrutant la campagne autour de Vaux. Elle donne aussitôt l'alarme : sur la route de Graye, deux hommes vêtus de noir s'avancent vers le château, marchant de chaque côté de la route. Ils ne semblent pas se presser. Ils n'ont pas pu repérer la jeune fille, dans l'étroit créneau.

— Retire-toi vite, dit Jean qui les a reconnus. Ils viennent du Havre et ils ont de l'artillerie plein leurs poches. Vous avez encore le temps de fuir. Je m'occupe de ces deux-là.

Il les entraîne à la poterne extérieure en ruine, du côté de Vaux. Fernand monte la garde en haut du chemin de ronde, sa mitraillette chargée.

— Vous devez rejoindre Richard, le prévenir de ce qui l'attend ici, dit Jean pour convaincre Thérèse de partir. Votre mission est importante : ces hommes sont venus pour le tuer. Restez dans le sous-bois et ne vous faites pas remarquer. Il doit être au bunker de la plage. Ne prenez pas le risque de le suivre, le terrain est miné. Attendez son retour en vous cachant dans les taillis. Et, pour l'amour du ciel, ne le manquez pas !

Depuis le début du jour, Georges et ses camarades guettent le blockhaus, cachés dans des carcasses de chars britanniques échoués dans les sables depuis juin 1944. Ils n'ont pas encore été évacués. Les équipes spéciales se sont attaquées aux engins qui gênaient les cultures. Ceux-là ne dérangent personne. Ils sont visités chaque année par quelques groupes d'anciens du 6ᵉ régiment blindé canadien. Les gens de Graye et de Courseulles se sont habitués à leur présence. Ils ne souhaitent pas qu'on les en prive.

Georges n'a pas renoncé à son projet de capturer le terroriste nazi. Puisqu'il s'agit d'un provocateur, il faut que sa capture soit spectaculaire, que le Parti puisse s'en glorifier, lui donner une portée politique. On ne défie pas impunément le peuple. Il n'a aucune intention de le lyncher, de faire justice selon les procédés condamnables des exécutions sommaires. Il le livrera aux gendarmes, mais tous les photographes de presse seront témoins que des enfants de chez Renault ont capturé à mains nues un ancien de la Charlemagne.

Ses camarades sont parfaitement soudés à leur chef. La décision de poursuivre l'opération punitive a été prise à l'unanimité. Le plus tiède était Maxime, l'intellectuel. Il émettait des doutes sur la valeur politique de cette capture.

— Si cela tourne mal, disait-il, on accusera le Parti. Si nous réussissons, la proie nous sera aussitôt arrachée, si l'on ne nous fait pas passer pour des complices...

Georges haussait les épaules.

— Si les anciens des Bataillons de la jeunesse de Jacques Ouzoulias, dit-il, avaient tenu de pareils raisonnements, le colonel Fabien n'aurait jamais abattu son Allemand sur le quai du métro Barbès, et le Parti ne serait pas entré dans l'action directe. De l'audace ! Il nous le faut vivant.

Ils avaient répété minutieusement l'intervention. L'un d'entre eux ferait le mort sur le sentier, attendant le passage du fugitif au pied du char. Georges lui sauterait dessus par-derrière, l'étranglant immédiatement. Il serait désarmé, ligoté. On le conduirait ensuite à Courseulles, attaché sur une civière. Ils l'avaient vu passer au début de la matinée, venant du fort, portant un sac lourdement chargé. Ils avaient repéré sa retraite du château, exploré le souterrain et découvert son entrée. Il ne pouvait pas leur échapper.

— Jean a raison, persistait à dire Maxime. Les gendarmes nous tiennent pour ses complices.

— Son attitude me paraît bizarre dans cette affaire, répondait Georges. C'est à croire qu'ils ont des intérêts communs. N'oublie pas que les pêcheurs du Parti comme les autres sont des as de la contrebande. Les armes font partie de leurs menus profits. Jean a pu se mêler à ces trafics. Nous n'en savons rien.

Maxime s'indigne que l'on puisse soupçonner un ancien des Brigades internationales de fricoter avec un nazi. Il connaît mieux que Georges les ruses de la droite, les traquenards de la police. On aurait dû suivre ses conseils. Après tout, les gendarmes les recherchent. Ils peuvent finir en prison.

— Si le nazi prépare une expédition sur cette partie de la côte, il le fait en toute sécurité. Il a observé comme nous les mouvements de la police et de l'armée. Ils n'ont pas franchi la Seulles.

Pour Georges, il n'est pas question de revenir en arrière. Il attend la nuit avec impatience. Dans quelques minutes peut-être, le bunker va sauter. Ce sera le moment d'agir. Les parlotes nuisent à la concentration.

— Cachez-vous, dit le guetteur, des pas sur le sentier !

Georges rentre précipitamment sa tête dans la tourelle du char. Ils observent, par les fentes des mitrailleurs, deux silhouettes qui se détachent dans le soleil couchant. Georges les reconnaît immédiatement. Gilbert et Thérèse. Ils parlent sans méfiance et Georges les entend très bien. A sa grande surprise, ils font le même calcul que lui.

— La plage est infestée de mines, interdite aux promeneurs, dit le gosse. Il faut le guetter d'ici et nous cacher dans une de ces épaves.

Ils choisissent le char le plus proche de la plage et se dissimulent à l'intérieur. Georges fait signe à ses camarades d'attendre la nuit noire. Le soleil se couche à l'horizon. Dans quelques minutes, ils pourront passer à l'action. La jeune fille est la compagne du terroriste : il convient de les neutraliser par les voies habituelles. Il sort de son sac des cordes, qu'il enroule autour de sa ceinture.

— Nous ne pouvons encore une fois séquestrer ce type,

lui murmure Maxime à l'oreille. Ses amis nous dénonceront aux gendarmes.

— Le moyen de faire autrement? Pourquoi crois-tu qu'ils l'attendent? Elle est sa complice. Il leur aura donné rendez-vous. Nous les relâcherons peut-être, mais il faut d'abord les neutraliser. Ils compromettent notre action.

Maxime baisse la tête et rejoint son poste. Il est trop tard pour arrêter Georges dans ses folies. Rien ne le fera dévier. Il se laisse glisser dans le sable avec souplesse. Il gagne en rampant dans l'obscurité le char de queue, à demi enfoui dans le sable. Il refuse le concours de ses camarades, préférant agir seul. Ils ne peuvent suivre l'action dans la carcasse du char. Ils entendent un cri de femme, vite étouffé. Georges en sautant par la tourelle déchiquetée est tombé sur Thérèse qu'il a aussitôt projetée vers le fond du char. Sans réfléchir, Gilbert sort de sa ceinture le lourd automatique, s'efforçant de pousser le cran de sécurité. Georges l'assomme net, d'un coup sur la nuque. Il récupère le pistolet, réunit les deux jeunes gens dans le fond du char. Il les attache ensemble, les ranimant par des gifles. Thérèse veut crier. Il la bâillonne aussitôt avec son foulard rouge. Fouillant soigneusement Gilbert, il lui retire son couteau de scout.

— Tu finiras en prison, lui dit Gilbert, avant d'être à son tour réduit au silence.

— Je viendrai te libérer moi-même. Tu ne m'empêcheras pas de capturer ce salaud.

Thérèse se débat, s'évertue à se dégager des liens qui entrent dans sa chair. Gilbert voudrait lui expliquer que c'est inutile, qu'il faut s'en remettre à Dieu, qu'ils sont perdus au milieu d'un combat absurde. Elle ne peut l'entendre. Du moins sent-il tout près de lui son corps qui s'abandonne avec une résignation tendre.

Que viennent Jean et le jour, se dit-il, saoul de fatigue, sentant contre son épaule rouler la tête de Thérèse qui a peut-être de nouveau perdu connaissance.

Jean-Philippe a fini par s'installer à l'hôtel, prenant une chambre assez vaste pour accueillir trois lits. Il a exigé la vue sur la mer. On lui a donné la plus belle, sur sa bonne mine, et moyennant le règlement de trois nuits d'avance. Serge a grogné très fort en emménageant, comme un mari bougon que sa femme oblige à découcher l'été, pour prendre des vacances.

— La toile de tente me donne des boutons, lâche Jean-Philippe, péremptoire. Je ne dis pas que la Grande-Marée soit le Grand Hôtel de Cabourg, mais nous y serons plus à l'aise pour attendre la fin de l'enquête de police. Après tout, nous sommes assignés à résidence. Je n'aurais jamais osé espérer ça en partant de Paris. Quelle aventure !

La vue crépusculaire sur la jetée est sublime. Les explosions ont à peine changé le site des douze épaves échouées, qui profilent leurs structures battues par les crêtes encore blanches des vagues. La lumière rasante accentue leur aspect monstrueux. Déjà les lampions s'allument pour une nouvelle nuit et l'on semble oublier l'angoisse. La présence des militaires attire une foule nouvelle, des filles venues de Caen, du Havre et même de Rouen. Toute la province est mobilisée par les exploits du pyromane de Courseulles.

Jean-Philippe peste contre Serge, qui a de nouveau disparu. Sans doute est-il parti à la recherche de Gilbert. Un exalté qui se jette à plaisir dans les situations les plus déplaisantes. Jean-Philippe déteste la veine héroïco-lyrique de la poésie de guerre, les Eluard, les Apollinaire qu'affectionne tant son camarade. Il n'avoue de penchant que pour Pierre Jean Jouve et René Char. Mais il faut le pousser très fort pour qu'il en convienne, plus encore pour qu'il cite quelques vers, généralement graves, qu'il dit d'un ton badin, comme s'ils n'avaient aucune importance.

Il glisse une pochette paille dans sa veste blanche qu'il a défripée de son mieux. L'hôtel n'a pu lui fournir ni repasseuse ni planche à repasser et il a dû cirer lui-même les mocassins vernis qu'il porte toujours dans son sac, même en camping, pour le cas où lui viendrait une bonne fortune.

Ainsi paré, rasé de frais, parfumé, il s'installe au bar, où sont déjà nichées, sur de hauts tabourets, des filles en tenue de soirée. L'une d'elles l'aborde directement :

— Il me semble que je vous reconnais.

— En êtes-vous bien sûre ?

Sans avoir l'habitude des filles de bar, il sait les tenir à distance.

— La Pipe, l'hôtel de Rouen, cela ne vous dit rien ? Sur la place de l'église Saint-Maclou ?

— Je vous assure que je ne connais pas la Pipe, dit Jean-Philippe en souriant.

Il prend son verre pour changer de place, laissant la fille déçue.

Une si grande maîtrise, chez un homme aussi jeune, impressionne la femme blonde qui vient de se glisser sur la banquette de moleskine grenat, au fond de la salle. Elle esquisse un sourire poli, comme si elle répondait à un salut. Le décolleté de sa robe noire est rehaussé par un rang de perles fines. Ses cheveux dégagent parfaitement son front et retombent en rouleaux réguliers sur ses épaules.

Veronika Lake ! se dit Jean-Philippe, qui reconnaît la partenaire de Gilbert sur la piste de danse.

Il n'est pas le seul à l'avoir remarquée. Deux journalistes parisiens se retournent sur leurs tabourets et l'admirent sans vergogne. L'un d'eux, la prenant pour une entraîneuse, lève son verre en la dévisageant. Elle tourne vers le large son visage impassible, en réponse à cette injurieuse proposition.

— Elle se croit au bar du Ritz ! dit le journaliste en colère qui aborde aussitôt l'hôtesse rouennaise farouche.

Jean-Philippe demande qu'on lui serve un whisky-soda, à la table proche de l'aventurière. Il se place en quinconce, montre son beau profil, et lui sourit, comme pour s'excuser de se rapprocher d'elle. La promiscuité du bar l'excède. Il ne peut subir plus longtemps les assauts de ces filles vulgaires. Il sort une Camel d'un paquet neuf, non déformé par un long séjour dans une poche de chemise de camping. Il en frappe l'extrémité sur son briquet en or et l'allume en tirant une longue bouffée qu'il écarte aussitôt de la main.

— Excusez-moi, dit-il à l'étrangère, je n'ai pas même pensé à vous demander si la fumée vous incommode.

— Je fume volontiers, dit-elle en sortant de son sac un fume-cigarette de jade.

Elle accepte une Camel, pendant qu'il s'installe en face d'elle. L'éclat de ses yeux verts, souligné par les longs cils blonds, ne semble pas le décourager. Le visage immobile s'éclaire de discrètes fossettes. Elle a ce sourire de l'intérieur de certains portraits de la Renaissance italienne. Ses mains surtout sont admirables, longues, fines, nacrées. L'élégance des gestes, l'énigme du sourire incitent Jean-Philippe à se surpasser. Il décline son identité en lui baisant la main, qu'il effleure d'une caresse, ainsi qu'il l'a vu faire au salon de son père.

Est-ce pour garder son mystère? Elle répond seulement par un sourire appuyé, comme si elle l'encourageait à poursuivre.

— Êtes-vous allemande?

Elle rejette son visage en arrière, dans une pose très étudiée, et rit franchement, exhibant l'écrin de ses dents irréprochables.

— Hollandaise, bien sûr!

On doit lui poser souvent la question, ce qui explique la réponse toute faite.

— Soyez gentil, dit-elle avec un fort accent, commandez-moi un gin-fizz, je meurs de soif.

Jean-Philippe avait remarqué qu'elle n'était pas servie. Peut-être attendait-elle quelqu'un. Serge lui avait bien dit qu'elle avait fait son entrée dans l'hôtel accompagnée par deux hommes vêtus de noir. De toute évidence, elle n'espérait plus personne. Où étaient ses compagnons ?

Elle consultait souvent du regard la montre sertie de diamants qui ornait son poignet.

— Où dînez-vous ce soir ? lui demande-t-il, comme si cette offre était naturelle entre eux.

— Avec vous, ici même.

Est-il étonné de sa franchise ? Il s'incline avec respect et lui tend la main pour la conduire au restaurant. Il n'est pas dupe. Elle attend des nouvelles de ses complices. Si elle se montre avec lui à la Grande-Marée, c'est qu'elle cherche un alibi. Il est aussi intrigué qu'elle est anxieuse. Le journaliste éconduit croit bon d'intervenir avant qu'ils ne quittent le bar.

— On m'a assuré, dit-il à Jean-Philippe, que vous connaissiez le terroriste. Est-ce vrai ?

— Naturellement, dit-il avec un éblouissant sourire. Nous sommes intimes. Mais madame pourrait vous en parler mieux que moi, n'est-ce pas, très chère ?

— Il est capable d'avoir piégé les souterrains, dit un des hommes en noir. Entrons par la voie normale. J'ai le plan des lieux.

Le patron de la Grande-Marée lui en a fait une description minutieuse. Fred, dit la Rafale, ne s'embarque jamais au hasard. Il sort un croquis de sa poche et s'avance résolument dans la salle des gardes de la tour de Vaux.

— Apprête-toi à défourailler, dit-il à Guillaume, son compagnon. Il peut surgir d'un moment à l'autre.

Ils s'épuisent à grimper sur le chemin de ronde. La tour est éventrée. Pas le moindre recoin à l'abri des intempéries, sauf une échauguette sur le flanc sud, mystérieusement préservée, avec sa chape de pierre blonde.

— C'est peut-être l'entrée de l'escalier secret.

L'hôtelier ne les a pas trompés. Un escalier en colimaçon part en effet de la tourelle au coin du donjon.

— Je vais voir, dit Ferdinand, le plus mince. Reste au créneau, observe les taillis. La planque a plusieurs accès.

Il descend les marches avec souplesse, découvre en fin de parcours une porte de fer très basse, qui ne résiste pas à une violente poussée. Guillaume vient pesamment à la rescousse. L'arme au poing, ils s'engagent dans l'étroit corridor souterrain qui conduit à la salle du trésor de guerre. Ils en connaissent l'existence, et presque l'inventaire. Ce trésor leur appartient. Richard n'en est que le gardien.

Un cri à l'extérieur. Ils repassent la porte, remontent précipitamment. Personne. La nuit est tombée. Impossible de distinguer les formes au pied de la forteresse. Le silence impressionnant du bois, avec, au loin, le murmure de la marée.

— Une chouette, ou une mouette, dit Fred. Poursuivons.

Ils redescendent, allument leurs torches, repoussent la porte. Une vive lueur dans l'escalier. Ils reviennent en arrière, prêts à tirer. La porte de fer s'est brusquement refermée, elle est condamnée de l'extérieur. Les voilà prisonniers.

— Il doit y avoir au moins trois sorties, dit Fred. Pas de panique. Poursuivons l'exploration. Il cherche à nous briser les nerfs.

Guillaume reste longuement en sentinelle derrière la porte, guettant le bruit des pas. Rassuré par le silence, il rejoint son compagnon, descend avec lui un autre escalier dont les marches sont usées, parfois brisées ou manquantes. Ils accèdent ainsi à un boyau souterrain où ils ne peuvent progresser qu'en se pliant en deux. Fred consulte son plan, car ils arrivent à une bifurcation. Ils s'engagent à droite et découvrent, à la lueur des torches, le vide de la grande tour. Pas d'escalier. Ils repèrent les pierres qui dépassent le long de la paroi.

— Il a dû se tromper, dit Fred. Impossible de descendre par là. Il faut explorer la deuxième voie.

Ils s'engagent dans l'autre boyau, parviennent au bord du précipice.

— Retourne-toi, Guillaume, dit Fred. C'est un piège.

Une lumière vive les aveugle, ils tentent trop tard de tirer : vivement poussés dans les oubliettes, ils poussent un cri atroce, longuement répercuté par les parois de pierre, avant d'atteindre le fond.

— Deux de moins, dit Jean. Il faut très vite faire sauter le stock.

Ils n'ont pas eu le temps d'organiser une destruction de détail. Des pains de plastic, en paquets suffisants pour détruire l'ensemble de la tour, étaient à leur disposition. Jean avait une grande habitude des explosifs. Il en avait disposé tous les dix mètres carrés en paquets reliés les uns aux autres par un cordeau Bickford, sans oublier la base des piliers des ogives.

— La Normandie va compter un château de moins, dit Fernand, goguenard.

— Mais une ruine de plus. C'était déjà une ruine.

— Qui s'en plaindra ? Les chouettes ?

— J'en connais un qui t'en voudra...

— De lui avoir sauvé la vie en éliminant les chacals lancés à sa poursuite ? La guerre est finie, Fernand. Ceux qui ont besoin d'armes aujourd'hui ne sont pas les résistants, mais les fascistes ou les bandits de grands chemins. Depuis trop longtemps il en profitait. C'est à nous de mettre de l'ordre, puisque l'État ne veut pas s'en charger.

— Nous pourrions indiquer la cache aux gendarmes.

— Pour qu'ils remontent jusqu'à Richard ? Veux-tu qu'ils l'arrêtent ?

Fernand n'a plus d'objections à faire. Il ne souhaite pas

plus que Jean la mort du terroriste. Ils veulent seulement le mettre hors d'état de nuire en le coupant de ses bases. Le château de Vaux est ébranlé par une gigantesque explosion. La voûte de la salle s'effondre, une partie des murailles écrase ce qui pouvait subsister du trésor de guerre.

— Partons d'ici, dit Jean. Dans un quart d'heure, les gendarmes seront sur place.

Une autre explosion, sur le rivage, répond à la première, beaucoup plus faible et hachée de crépitements de balles : le dernier bunker a flambé.

Les pêcheurs courent vers la plage. Ils veulent à tout prix empêcher Richard de revenir à Vaux. Fernand rentre au port pour retrouver sa barque et tenter de récupérer le fugitif tandis que Jean s'impatiente, ne voyant rien venir. Il s'approche du bord de mer quand une troisième explosion retentit. Une mine vient de sauter.

— C'est lui, dit Georges, sortant de la carcasse du char, une paire de jumelles à la main. Le salaud s'est suicidé.

— Les cons, dit Jean.

Il est minuit quand on apprend à la Grande-Marée le double attentat de Vaux. Jean-Philippe vient de finir de dîner. Sa compagne s'est absentée pour téléphoner. Impossible d'utiliser la cabine. Un reporter de *France-Soir* télégraphie à son journal. Il annonce la destruction, par une bande spécialisée, d'un stock important d'armes au château de Vaux. Deux cadavres ont été retrouvés dans les décombres, au fond d'anciennes oubliettes. Ils ne semblent pas avoir été à l'origine directe de l'explosion puisqu'ils en étaient les victimes. Leur identité ? La Défense du Territoire l'a établie sans peine. Il s'agit de Guillaume Le Croisec et de Frédéric Lamire, anciens volontaires français de la division Charlemagne, résidant actuellement au Havre. Profession ? Ferrailleurs.

La jeune femme, excédée, ne peut interrompre cette conversation. Le restaurant ne possède qu'une ligne de téléphone. Les seules autres qui fonctionnent dans le pays sont celles du médecin, du pharmacien, de la gendarmerie. Le reporter étouffe dans la cabine. Il ouvre la porte vitrée et chacun peut ainsi se tenir au courant des derniers résultats de l'enquête.

— Il en a pour une heure, dit Jean-Philippe. Voulez-vous faire un tour sur la plage?

— Les nazis sont-ils à l'origine des attentats? Sans doute, reprend le reporter qui donne tous les détails. La bande organisée fournissait des armes aux rebelles irlandais d'extrême droite, qui avaient offert leur collaboration au IIIe Reich pendant la guerre. La DST s'est fait confirmer par la marine nationale la présence d'un cargo hollandais immatriculé au registre d'Amsterdam à proximité de la côte de Courseulles-sur-Mer, dans la nuit précédant les attentats. Ils seraient le résultat d'une guerre de gangs. On ne connaît pas encore dans les détails l'organisation du gang adverse. L'explosion des bunkers et des épaves nautiques semble être le fait d'une deuxième bande dont les membres courent toujours.

Jean-Philippe pouffe de rire. Il lui semble du plus haut comique que les inspecteurs de la DST considèrent Richard à lui seul comme l'équivalent d'un gang tout entier. Ils n'ont apparemment pas progressé dans cette partie de l'enquête.

— Vous en savez plus long qu'eux? demande le journaliste de l'agence France-Presse.

Jean-Philippe reconnaît l'homme corpulent, aux lourdes lunettes d'écaille, qui voulait s'asseoir à leur table au début du repas.

— Comment peuvent-ils se tromper à ce point?

— Il n'est pas exclu, poursuit au téléphone l'envoyé de *France-Soir* que les criminels aient bénéficié de complicités sur place, en particulier d'une bande de jeunes arborant le foulard rouge des Jeunesses communistes.

— On a perdu la trace des soi-disant campeurs, la veille des événements. Ont-ils aidé le deuxième gang à venir à bout des fascistes? On ignore encore les ramifications européennes de l'organisation du Havre. Il paraît certain qu'elle dispose de correspondants aux Pays-Bas et en Belgique. L'état-major serait à Amsterdam.

— Si vous connaissez l'auteur des attentats, mieux vaut vous confesser que d'attendre les gendarmes, dit à Jean-Philippe le journaliste, qui sort son carnet. Racontez-moi les circonstances de votre rencontre.

Le potache gominé ne résiste pas au plaisir de la mystification. L'idée de donner une conférence de presse entièrement factice lui semble extrêmement drôle. Il commande du champagne Taittinger. On lui apporte du Mumm.

— J'exige du Taittinger, crie-t-il, ou je ne dis rien.

Le journaliste revient au bout d'un instant, une bouteille de Taittinger en main. Il est allé la chercher dans le coffre de sa voiture.

— Provision de route ou prise de guerre? demande Jean-Philippe.

— Les deux. Je suis passé au magasin américain. Il est un peu chaud, mais d'une bonne année.

— 1942, l'année exquise, dit Jean-Philippe, celle d'El-Alamein.

Confortablement installé à la meilleure table, il ne semble pas s'apercevoir que la Hollandaise ne les a pas rejoints. Rien d'étonnant, elle attend la ligne téléphonique. Il commence son récit d'une voix posée, très grave, sans se soucier des questions de son interlocuteur. Il néglige par exemple de raconter en quelles circonstances il a connu Richard. Car il s'appelle bien Richard, n'est-ce pas?

— On ne sait. Cela peut être un pseudonyme, pour ce

cœur de lion. Imaginez-vous un colosse aux pieds agiles, totalement étranger au pays, échappé des oubliettes de l'histoire. Il mesure un mètre quatre-vingt-dix, la taille des Cent Gardes de Napoléon le Petit. Chacun peut en parler au village, mais personne n'osera, car il est à la fois aimé et redouté.

— Aimé? parvient à glisser le journaliste. Vous me surprenez.

— Mandrin aussi l'était, il a pourtant réalisé la plus belle carrière de voleur qui soit. Celui-ci serait plutôt un récupérateur de matériel oublié qu'il revend très cher à des clients choisis.

— Mal choisis.

— C'est selon. Sa nature fantasque lui permet de varier ses plaisirs, et de satisfaire les uns et les autres. Ne me demandez pas comment il a pu constituer des stocks aussi considérables. Il a joui sans doute d'étranges protections qui s'expliquent par les anomalies de sa carrière, j'allais dire de sa naissance.

— Vous m'intriguez, dit le journaliste, qui lève brusquement son stylo du bloc, commençant à soupçonner la supercherie.

— Ce jeune surdoué est né coiffé. Engagé volontaire dans les *Waffen SS* il est envoyé, non pas en Russie mais en Italie; en raison de ses aptitudes physiques exceptionnelles, il participe à la libération du Duce avec Skorzeni. Il se laisse ensuite entraîner dans le complot contre le Führer et se retrouve en Normandie à l'état-major de Rommel.

— Vous parliez de sa naissance? demande le journaliste qui a pris le parti de terminer seul la bouteille de champagne.

— Sans doute. Vous ne saviez pas? Il est le fils naturel de Pétain.

— La mère?

— Avant d'être nommé généralissime à Verdun, le maréchal l'avait rencontrée dans un hôtel proche de la gare Saint-Lazare. C'est là qu'il fut rejoint par les envoyés de l'état-major. La jeune femme était la propre sœur de Clara Petacci, la maîtresse de Mussolini.

— Pourquoi pas Eva Braun? dit le journaliste qui se lève brusquement car la voiture de la gendarmerie freine devant l'hôtel.

Essoufflé, Serge, lâchant sa bicyclette, rejoint Jean-Philippe.

— Viens vite, Richard vient de sauter sur une mine.

Jean et Fernand ont échappé de justesse aux gendarmes, attirés sur les lieux par les attentats. Ils ont tout de suite découvert les restes de Richard, dans le champ de mines. Les spécialistes de l'armée ont été conviés aussitôt. Ils ont aussi exploré les ruines du château de Vaux, découvrant très rapidement les cadavres. Le chantier d'investigation était tel qu'ils n'ont pas songé tout de suite à boucler la zone. Jean n'avait pas pour habitude de livrer des camarades à la police, même s'ils avaient commis des erreurs. Ils devaient d'abord s'expliquer entre eux. Il avait fait libérer Gilbert et Thérèse, transis de froid, les poignets et les chevilles marqués de profondes entailles.

— Nous nous expliquerons plus tard. Aidez-les à marcher.

Georges ne s'était pas fait prier. Il avait chargé Thérèse sur son dos. Les camarades soutenaient Gilbert, qui avait absorbé quelques gouttes de cognac. Ils avaient fui par le bord de mer, évitant le champ de mines, servis par l'obscurité d'une nuit sans lune. Fernand ouvrait la marche. Il voulait s'arrêter au bourg du Pasty-Ver, mais Jean recommanda de fuir plus loin, jusqu'au marais. Il y connaissait des cabanes de pêcheurs perdues dans les hautes herbes. Ils y seraient en sécurité. Demain il serait temps d'envisager des relais de fuite et se servant des caches et des amitiés de la Résistance.

Les foulards rouges avaient abandonné leurs bicyclettes, mais ils avaient gardé leurs sacs. Ils proposèrent
de dresser la tente.

— Êtes-vous fous ? demanda Jean. Voulez-vous vous
faire prendre ?

Ils se répartirent dans les deux cabanes de planches et
d'ajoncs. Jean avait tenu à ce que Thérèse, Gilbert et
Georges fussent logés ensemble, sous sa protection. Il y
avait dans la baraque des couvertures et des peaux de
mouton. Mais personne ne songeait à dormir.

— Il s'est puni lui-même, dit Georges. C'est mieux
ainsi.

— Pourquoi mentir ? Je sais, dit Jean, que tu es déçu de
cette conclusion. Tu ne l'avais pas prévue, moi non plus.
Je dirais même que je la trouve louche. Il n'était pas
homme à se suicider.

— Pourquoi a-t-il sauté sur une mine, connaissant à
fond son parcours ?

— Justement. Il se peut que le parcours ait été piégé.

— Tu sembles le protéger, l'excuser.

— Je viens de faire sauter son repaire et je n'ai pas de
reproches à entendre de la part d'un militant qui ne songe
qu'à la politique de la chemise sanglante, au risque d'y
compromettre le Parti.

— Ce gars-là n'était pas des nôtres. Il était notre
ennemi.

— Le crois-tu ? Je vais te dire qui était Richard. On
peut tout dire, maintenant qu'il est mort.

— Comment l'avez-vous connu ? demande vivement
Thérèse.

— C'est une longue histoire. J'étais dans les parages la
veille du Débarquement, le 5 juin. Nous organisions des
sabotages, selon le plan prévu, sur les arrières immédiats
des armées allemandes, tout le long de la côte. Cette nuit-
là, la lune éclairait la campagne au point que les
parachutistes américains, par les hublots des C 47 ont

raconté plus tard qu'ils apercevaient distinctement les cours d'eau et les chemins, les routes et les canaux. Richard — qui s'appelait en réalité Tom Deville — était un New-Yorkais d'origine française, recruté dans les Screaming Eagles qui s'étaient teint le visage de peintures indiennes rouge et blanc, pour se donner du courage. Entassé dans l'avion avec ses dix-sept camarades il pesait deux fois son poids, avec ses munitions, son fusil Springfield, ses grenades, ses boîtes de vivres, son casque et son masque à gaz. Il s'apprêtait à sauter, par une vitesse de deux cents kilomètres/heure lorsque un banc de nuages avait brusquement obscurci le ciel. Les avions, jusque-là en formation serrée, s'étaient éparpillés, avaient perdu leur route, lâchant les hommes au petit bonheur. Certains, avant de sauter avaient été blessés par les éclats de la flag. Beaucoup avaient refusé de poursuivre, s'estimant grugés par l'état-major — on les envoyait délibérément à la mort. Il avait suivi son ami Jimmy, qui avait été tué net, à peine son parachute déployé, par une rafale de balles traçantes. Tom avait atterri dans la vallée du Merderet, inondée par les Allemands, au sud-est de Sainte-Mère-Église. Personne n'avait été tenu au courant de cette particularité du terrain. Les parachutistes, pour se défaire de leur lourd équipement, roulaient sur le sol sous un mètre d'eau. Beaucoup périrent noyés. Tom avait besogné de longues minutes pour trancher ses sangles au poignard. Seule sa forme physique exceptionnelle lui avait permis d'échapper à la mort.

Son premier soin fut de se renseigner dans une ferme, pour savoir où il était. Les Normands lui tenaient porte close, de crainte des représailles. Un seul consentit à lui fournir du lait et du cidre et de lui expliquer sa position sur la carte. Il était tombé loin de sa zone de rassemblement. Il dut marcher pendant longtemps pour la rejoindre. Un lieutenant, qui le reçut à la fin de son épuisante odyssée, lui annonça qu'il serait jugé comme déserteur, ayant manqué la bataille. Il prit la clé des champs.

C'est alors que je l'ai rencontré. Il était passé en zone britannique au moment où le front piétinait autour de Caen. Il menait la guerre pour son compte, liquidant de petits groupes de Caucasiens de l'armée allemande pour prendre leurs grenades et leurs vivres. Il faillit être fusillé par des Anglais soupçonneux devant l'uniforme bariolé de cet étrange GI qui collectionnait les croix de fer sur son blouson : il les avait prises à ses victimes. Il commençait ainsi à constituer, en des caches connues de lui seul, des stocks d'armes et de munitions, pour survivre à la fin de la guerre. Je l'ai aidé à s'enfuir de la ferme où les officiers de la Police militaire l'avaient provisoirement enfermé. Il m'expliqua qu'il avait déserté, pour raisons de conscience, l'armée américaine, afin de venger ses camarades envoyés au massacre. Il organisait, dans ce but, des attentats contre les officiers d'état-major galonnés et médaillés, qu'il considérait comme des salauds. Les nôtres, ceux de la résistance française étaient assez maltraités par les officiers américains d'occupation pour que je ne ressente pas à l'égard de Tom une certaine sympathie. Je le fis donc bénéficier des caches de notre réseau. Il était censé m'aider à débusquer les traîtres qui subsistaient à l'arrière des lignes, pendant le dur hiver de 1944-1945. Il me rendit certains services, démasquant admirablement les anciens volontaires russes ou caucasiens, parfois français, qui se cachaient dans les villages. Il n'avait pas son pareil pour les repérer. Poursuivant sa collecte, il était en outre précieux, pouvant armer les camarades que les Alliés ne voulaient pas reconnaître et que de Gaulle prétendait rendre à la vie civile.

— Vous l'aviez donc recruté ? dit Georges.

— On ne pouvait tenir Tom pour l'un des nôtres. Il était trop indépendant. Il le montra par la suite, quand il refusa tout contact, menant sa vie de vagabond, de bunker en blockhaus. Il ne causait aucun tort à la population civile, rendant au contraire des services quand je les lui demandais avec insistance. Il en avait assez de cette vie errante, et voulait liquider ses stocks d'armes d'un coup, avant qu'ils ne soient réduits à l'état de ferraille rouillée, pour partir au Brésil... Il prit alors contact, pour son malheur, avec les anciens de la Charlemagne. Il réalisa avec eux plusieurs opérations fructueuses qui nous mirent la puce à l'oreille. Il devenait le fournisseur des fascistes irlandais. Je crois qu'il opérait pour son propre compte, sans égard pour les intermédiaires du Havre. C'est eux, sans doute, qui l'ont liquidé.

Thérèse ne voulut pas en entendre davantage. Cette fin sinistre réduisait son héros, le reléguait au rang d'un trafiquant déserteur. Jean passait sous silence l'extraordinaire magnétisme d'un homme promis à un autre destin. Il ne restait de lui que sa face visible, inavouable. Elle pleura silencieusement dans les bras de Gilbert.

À l'aube, la Grande-Marée était déserte. Les gendarmes avaient arrêté la pseudo-Hollandaise, en réalité de nationalité allemande, chef du gang des ferrailleurs du Havre. Elle avait été dénoncée par l'hôtelier, qui n'avait pas résisté aux amicales pressions de la Brigade de surveillance du territoire. Un coup de filet réalisé presque simultanément au Havre avait permis de coffrer le reste de la bande, et de faire de belles prises sur le chantier. L'armée s'occupait enfin sérieusement de déminer les zones encore douteuses, et de fouiller minutieusement les bunkers. On passait au peigne fin tous les châteaux de l'intérieur qui avaient abrité des états-majors allemands. L'affaire avait eu, sur ce plan, des conséquences heureuses.

L'hôtelier avait dû subir un deuxième interrogatoire, plus dur que le premier, celui de Jean et de ses amis. Ils étaient venus le cueillir à la fin de la nuit, dans sa chambre. Ils lui avaient fait avouer que l'Allemande avait arrangé l'assassinat de Richard, en plaçant autour du blockhaus des mines supplémentaires, sur le parcours qu'il avait l'habitude d'emprunter, et que l'hôtelier connaissait parfaitement, pour l'avoir fait espionner. Jean lui avait dicté une confession, où il reconnaissait les faits. Il était désormais en leur pouvoir.

Les journalistes avaient plié bagage, sauf un seul, qui ne logeait pas à la Grande-Marée, mais dans l'établissement voisin du Paris. Celui-là, qui travaillait pour *Franc-Tireur*, avait reçu assez de renseignements, par des voies mystérieuses, pour suggérer, sans pouvoir le prouver, que le déserteur américain avait été assassiné. Personne n'avait voulu lui en dire plus long dans la ville. Il s'obstinait. Un jour, peut-être, la vérité éclaterait. On rouvrirait le dossier du pyromane de Courseulles.

Jean-Philippe et Serge avaient retrouvé leurs montures et leurs bagages. Ils attendaient Gilbert qui avait reconduit Thérèse à sa villa. Il ne lui avait posé aucune question, au moment de la quitter. Il l'avait serrée dans ses bras, embrassée chastement sur le front. Rien ne pourrait chasser la tristesse de son regard. Quand elle posait sur lui ses yeux si beaux, il sentait entre eux la présence du marin fou de Wagner, ce tragique Skaggerak qui avait rejoint le paradis des vagabonds du ciel.

Se reverraient-ils jamais ? Mêlés si jeunes à cette affaire sordide qu'ils avaient vécue dramatiquement, ils étaient l'un et l'autre comme des squales échoués sur le sable. Ils se sentaient proches dans l'épreuve, mais incapables de susciter, même au prix d'une longue patience, une seule étincelle de bonheur. Ainsi prenaient fin ces singulières vacances. Elle lui avait rendu, sur le seuil de sa porte, le foulard rouge qu'il lui avait jadis donné. Quel usage en ferait-il désormais ? Sa jeunesse était morte sur la plage de Courseulles. Peut-être, comme Richard, n'aurait-il jamais d'âge mûr. L'étrange fascination qu'il avait ressentie, comme Thérèse, pour le solitaire tenait sans doute au fait qu'ils avaient été mis par le hasard en présence d'un être libre, que la guerre avait éloigné à jamais de la vie médiocre des hommes. La fin de Richard, pour Gilbert, c'était un peu la mort du poète.

Il médita longtemps à la porte de Thérèse sans avoir le cœur de rejoindre ses amis. La Packard noire vint l'enlever. Elle portait une robe de deuil.

Table

Laissez-nous la route !. . . . .　　7
Le sel de la mer. . . . .　　24
Les conquistadores de Courseulles-sur-Mer. . . . . .　　58
Le cœur de Clélia . . . .　　84
Les pétards du 14 Juillet . . . .　　110
L'aigle noir est dans son aire . . . .　　135
La tour de Vaux . . . .　　164
Le bouquet final . . . .　　192

DU MÊME AUTEUR

AUX ÉDITIONS ALBIN MICHEL

Lettre ouverte aux bradeurs de l'Histoire, 1981.
Le Magasin de chapeaux, 1992.
Petite Histoire des noms de lieux,
villes et villages de France, 1993.
Petite Histoire des stations de métro, 1993.

AUX ÉDITIONS FAYARD

Histoire de France, 1976.
Les Guerres de Religion, 1980.
La Grande Guerre, 1983.
Poincaré, 1984.
La Seconde Guerre mondiale, 1986.
La Troisième République, 1989.
L'Histoire du monde contemporain, 1991.
La Guerre d'Algérie, 1993.

*La composition de cet ouvrage
a été réalisée par l'Imprimerie BUSSIÈRE,
l'Impression et le brochage ont été effectués
sur presse CAMERON dans les ateliers de B.C.A.,
à Saint-Amand-Montrond (Cher),
pour le compte des Éditions Albin Michel.*

*Achevé d'imprimer en avril 1994
N° d'édition : 13647. N° d'impression : 792-94/192
Dépôt légal : avril 1994*